Les définitions des mots québécois sont extraites du *Petit guide du parler québécois* de Mario Bélanger, publié aux éditions Stanké, en 2004.

Conception et réalisation graphique : C-Album
Relecture : Renaud Bezombes

Connectez-vous sur www.editionsdelamartiniere.fr

QUÉBEC
Une dynamique créative

Conçu et réalisé par
Solange de Loisy

préface de
Michel Drucker

photographies de
François Poche

Éditions
de La Martinière

SOMMAIRE

SOMMAIRE

AVANT-PROPOS

À l'évidence, Solange de Loisy connaît bien le Québec et sait admirablement faire partager sa passion et inviter au voyage et à la découverte. *Québec, une dynamique créative* témoigne en effet de la créativité québécoise artistique, littéraire, linguistique et technologique : la nature propice à l'innovation sert de décor ; culture et nouvelles technologies s'y trouvent ainsi intimement liées.

Ce livre invite aussi à l'échange, à la réflexion et à l'interrogation sur le modèle québécois. À l'heure où la France semble en pleine crise de morosité, n'est-il pas important de mettre en exergue la modernité du Québec multiethnique qui a su assimiler ses différences, réduire sa dette et se spécialiser dans les techniques de pointe ? Un pays d'où se dégage une réelle énergie. Parce que le Crédit Mutuel illustre en France la réussite du modèle mutualiste, la banque coopérative qui a su faire de l'informatique et de l'innovation un levier de développement est fière d'être aux côtés du Mouvement des caisses Desjardins pour saluer l'initiative de Solange de Loisy, sa culture, son courage et sa détermination.

Michel Lucas
Directeur général de la Confédération nationale du Crédit Mutuel

Je n'ai pas vu toutes les merveilles du monde
Et j'ai sûrement vu la plus belle et c'est mon pays
Où que je sois sur terre
Je l'emporte dans ma guitare.

(Félix Leclerc)

Le 400e anniversaire de la fondation de la ville de Québec a constitué une exceptionnelle occasion de remémoration, de réjouissances et de fraternisation. Le présent ouvrage souligne à sa façon ce moment historique en nous donnant à voir de quelle façon originale le Québec s'inscrit dans la complexité du monde d'aujourd'hui. Nos amis de la Francophonie y trouveront une source d'inspiration en même temps qu'une invitation au voyage.

Première institution en importance au Québec, le Mouvement des caisses Desjardins est fier de s'associer à cette belle initiative. C'est depuis 109 ans maintenant que les caisses Desjardins accompagnent les Québécoises, les Québécois et leurs collectivités dans leur quête d'un monde qui soit à la mesure de leurs aspirations.

Fort des moyens dont il dispose et porté par les valeurs de la coopération, le Mouvement des caisses Desjardins poursuivra avec une même détermination sa contribution à l'édification du Québec de demain.

C'est avec beaucoup de plaisir que je me joins à monsieur Michel Lucas, Directeur général de la Confédération nationale du Crédit Mutuel de France, grande représentante de la tradition coopérative de la République, pour vous souhaiter bonne lecture.

Monique F. Leroux
Présidente et chef de la direction du Mouvement des caisses Desjardins

PRÉFACE

Nous sommes le 3 juillet 1608, Samuel de Champlain arrive en barque à Québec, à l'embouchure du Saint-Laurent, avec quelques compagnons. Il a laissé son navire à Tadoussac. Le moment est solennel. C'est la fondation de Québec, la date la plus marquante de l'histoire française en Amérique, la naissance du Canada.

Champlain n'est pas conscient de la portée historique de l'événement. C'est préférable, car s'il avait su alors ce qui l'attendait, il serait vite rentré chez lui dans son village de Brouage, près de La Rochelle.

Après beaucoup de péripéties, Champlain, cet inlassable explorateur doué d'une extraordinaire ténacité, va voir la Nouvelle-France s'édifier lentement selon son rêve. Terre française pendant près de deux siècles, puis colonie anglaise, le Québec deviendra en 1867 une province du Canada. Aujourd'hui, les descendants des compagnons de Champlain sont toujours présents dans ce pays de grands espaces exceptionnels. Le Québec, avec ses forêts à perte de vue, flamboyantes à l'automne, son million de lacs et de rivières et ses étendues neigeuses à l'infini, offre aux visiteurs, comme par le passé, des paysages magnifiques.

Animés de la même ténacité que leurs ancêtres, les Québécois ont puisé leur puissance créatrice dans cette nature qui nous dépasse souvent. Sinon, comment expliquer l'imaginaire, la mise en scène audacieuse, les décors et costumes d'une rare esthétique d'un Cirque du soleil ? Que dire de la voix exceptionnelle de Céline Dion qui nous enchante ? Pourquoi le héros de Denys Arcand dans *Les Invasions barbares* lutte-t-il avec tant d'humour contre l'inéluctable ?

Et ce sont ces mêmes qualités innovantes qui ont placé le Québec à l'un des premiers rangs mondiaux pour les nouvelles technologies.

Dans ce pays où je me suis rendu à de nombreuses reprises, j'ai retrouvé chez les artistes cette énergie sans faille des premiers pionniers. Au fil des pages de cet album, vous découvrirez le talent créatif et original des artistes québécois dans des domaines aussi divers que la chanson ou la littérature, la peinture ou le cirque, mis en scène dans un somptueux décor naturel.

Michel Drucker
Présentateur de France 2

ACCOTÉ {en concubinage, ou appuyé}

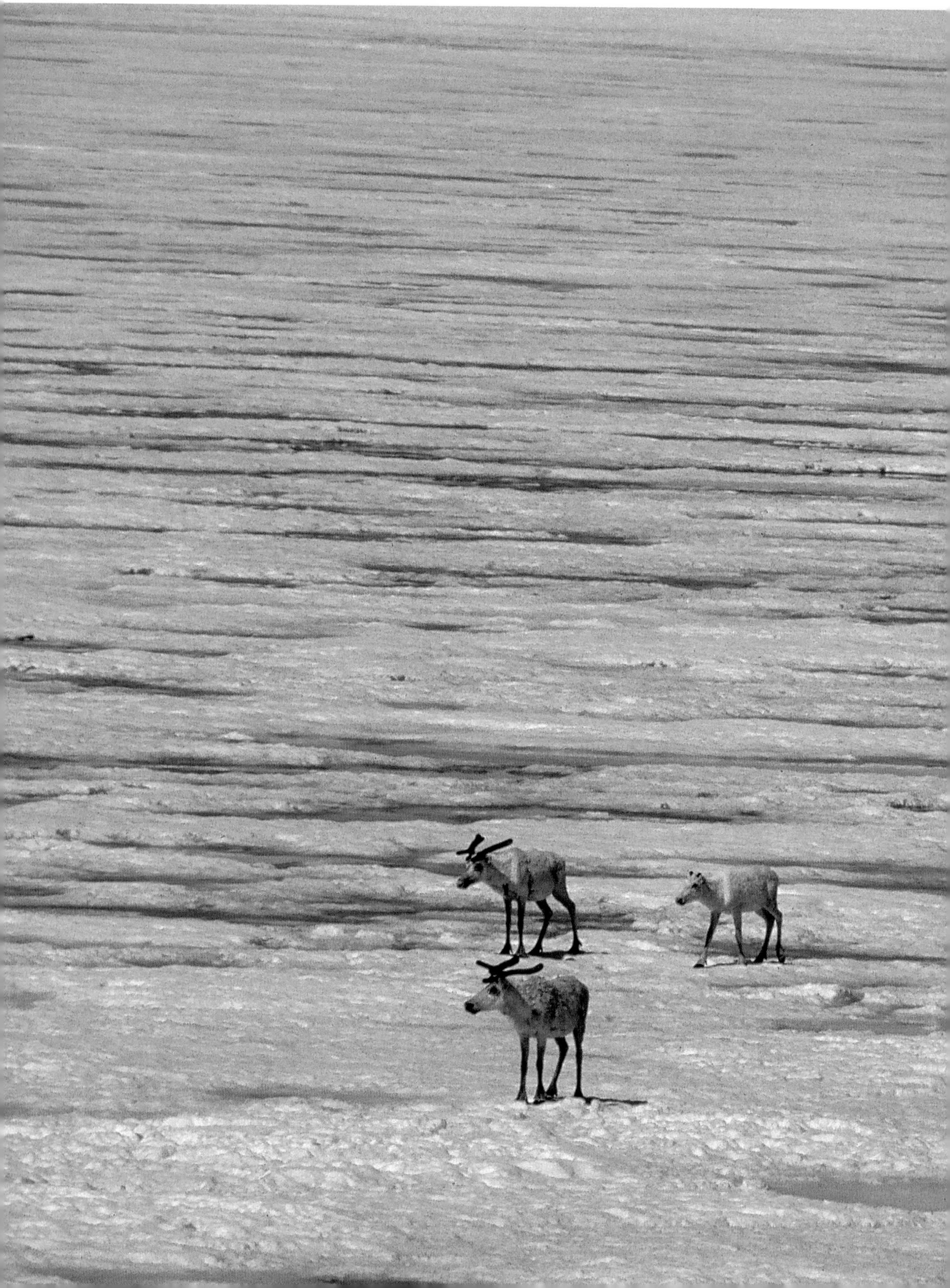

LE QUÉBEC,
ENTRE L'EUROPE ET L'AMÉRIQUE

Dans la confrontation dont nous sommes témoins entre le respect de la diversité des cultures qui caractérise l'Europe et l'effacement des différences nationales qui sert de principe à la société nord-américaine, ainsi qu'entre le libéralisme social des pays d'Europe occidentale et le « néolibéralisme » en vogue aux États-Unis, le Québec cherche sa voie. La géographie l'a ancré solidement en Amérique septentrionale, mais il demeure attaché à ses origines française et européenne. La « Presqu'Amérique », comme la nomme l'un de nos poètes, paraît hésiter par moments entre le maintien de son identité et l'attrait exercé sur la société et en particulier sur les jeunes par l'étalage des biens matériels et culturels de son puissant voisin.

Certes, le peuple du Québec n'est pas le seul aujourd'hui à se trouver confronté de la sorte à des choix aussi fondamentaux entre l'être et l'avoir. Le philosophe George Grant a bien montré, dans son ouvrage prémonitoire, paru voici un demi-siècle, *Lament for a Nation,* comment le Canada britannique a glissé insensiblement dans l'orbite américaine malgré la résistance de certaines de ses élites intellectuelles et politiques. Cependant, le Québec français a plus à perdre dans cette évolution que les anglophones canadiens. Son insertion dans le cadre économique et politique fédéral et la pression constante que celui-ci exerce sur lui deviennent des facteurs supplémentaires d'américanisation. C'est l'avenir du fait français en Amérique – et peut-être au-delà – qui se joue sous nos yeux, rendu plus problématique par la mondialisation de toutes choses.

Dans cette recherche identitaire, le Québec n'est pas sans atouts. Avec ses 7 720 000 habitants, dont 80 % de langue maternelle française, il ne représente plus guère, cependant, que le quart de la population canadienne et à peine 3 % de celle de l'Amérique du Nord ; et ces chiffres vont diminuant. Aussi était-il urgent, après presque deux siècles d'isolement, que les Québécois cherchent des appuis dans le monde extérieur : en France, en Europe et dans les pays francophones, sans oublier l'Amérique latine. Ce mouvement est en marche depuis les années 60, à l'époque de cette évolution parfois agitée que nous appelons la « Révolution tranquille ». Celle-ci s'est poursuivie depuis lors, avec des hauts et des bas, au point que la société métamorphosée qui en est issue est allée depuis une quarantaine d'années jusqu'à poser la question de son indépendance nationale.

Les liens tissés avec la France et la Francophonie n'auraient pu se développer, sans une volonté politique suivie de la part des gouvernements qui se sont succédé à Paris et à Québec ; cela n'allait pas de soi. Dans le domaine économique, le Canada est dans une situation de dépendance par rapport aux États-Unis, encore accentuée par les accords successifs de libre-échange. L'exiguïté du marché intérieur québécois lui dicte de se tourner vers l'extérieur, la part de ses exportations dépasse 50 % de son PIB. Or le voisin américain occupe une place prépondérante dans ces échanges : il compte pour plus de 80 % des exportations du Québec et 33 % de ses importations. Quant au commerce avec l'ensemble européen, il représente moins de 10 % des exportations québécoises et 30 % de ses importations. Ce déséquilibre ne peut manquer d'entraîner des conséquences d'ordres culturel et politique.

Le redressement de pareille situation, qui a son pendant en matière d'investissements, exige que le Québec se rapproche de l'Europe et l'on sait avec quelle insistance il tente d'obtenir du pouvoir fédéral canadien que celui-ci conclue avec l'Union européenne un accord de libre-échange. Il s'agit de tempérer, à tout le moins, la prépondérance américaine. Pour cela, il lui faut également une présence croissante à l'extérieur, qui lui permette de développer des liens non seulement économiques, mais culturels, sociaux et politiques plus poussés avec la France, l'Europe, la Francophonie et, désormais, les pays d'Asie.

C'est ainsi que fut ouverte à Paris, en 1961, une Maison du Québec, devenue depuis Délégation générale et dotée d'un statut diplomatique à part entière. Ce n'était là qu'une première étape : en 1968, le Québec fut invité à participer aux institutions de la Francophonie et il y est toujours présent en tant que tel, à titre de « gouvernement participant ». Le dernier Sommet de l'Organisation internationale de la Francophonie a eu lieu à Québec en octobre 2008, à l'occasion du quatrième centenaire de la fondation de la capitale de la Nouvelle-France.

L'impulsion a été donnée de la sorte à l'établissement d'un réseau d'une trentaine de postes, Délégations et Bureaux du Québec dans quelque vingt pays, et à la conclusion de plusieurs centaines d'ententes internationales dans les domaines relevant de sa compétence constitutionnelle, notamment l'éducation, la promotion du français, les politiques sociales et culturelles, les ressources naturelles et le droit civil. Si les États-Unis accueillent aujourd'hui six Délégations ou Bureaux du Québec, dont les activités sont axées avant tout sur le commerce, les investissements et le tourisme, l'Europe s'est vue donner la priorité avec huit Délégations, Bureaux ou Services : à Paris, Londres et Bruxelles sont venus s'ajouter les postes de Berlin, Rome, Barcelone, Vienne et Munich. Participent également à cette démarche d'ouverture sur le monde extérieur des représentants à Mexico, Buenos Aires, Beijing, Hong Kong et Shanghai ; en outre, le gouvernement a annoncé son intention d'ouvrir une délégation à São Paulo. De la sorte, le Québec s'est acquis depuis quelques décennies une certaine personnalité internationale – modeste, mais réelle. Fort éloquents sont les chiffres des personnels du réseau québécois : sur un total de 297 agents, 146 sont assignés à l'Europe contre 71 aux États-Unis. On peut y voir une volonté concrète de rapprochement plus étroit avec l'Europe et avant tout avec la France, laquelle, selon le *Plan d'action 2006-2009* du ministère des Relations internationales du Québec, demeure « le principal lieu de sa présence en Europe ». Le plus beau fruit de la coopération transatlantique est sans doute la *Convention sur la protection et la promotion de la diversité des expressions culturelles*, adoptée par l'Unesco en 2005, qui consacre « le droit des États et gouvernements de se doter de politiques culturelles », en dépit de certaines dispositions des accords de commerce. C'est ensemble que, sous l'impulsion des Premiers ministres Jospin et Bouchard, la France et le Québec ont élaboré cet accord multilatéral, auquel le Canada s'est rallié. L'initiative en est revenue au Québec, mais c'est l'influence de la France qui l'a fait endosser par le Parlement européen et l'Unesco. Il est entré en vigueur en mars 2007, avec maintenant quelque quatre-vingts ratifications ou adhésions, y compris celles de l'Union européenne et de la Chine, malgré l'opposition soutenue des États-Unis. Cette action, qui transforme en quelque sorte la recherche par un petit pays de son identité en préoccupation d'ordre universel, a constitué une belle entrée en matière pour le XIIᵉ Sommet de la Francophonie. En contrepartie, le Québec apporte son appui à la coopération en vue du développement des États francophones, en Afrique notamment, par la formation de leurs ressources humaines dans les institutions d'enseignement québécoises.

S'il entend se développer dans le cadre nord-américain, tout en demeurant fidèle à ses origines européennes et maintenir son identité dans le contexte politique canadien, le Québec n'a d'autre choix que de raffermir ses liens de toute nature avec la France, l'Union européenne et la Francophonie, sans oublier désormais l'Amérique latine et l'Asie. L'Union européenne, en particulier, représente un contre-modèle par rapport à l'homogénéisation à l'américaine.

Ce grand dessein d'exister en dépit de l'uniformisation des cultures proposée par l'universalisme et le libéralisme à l'américaine et de transposer dans ce coin d'Amérique du Nord les idées européennes de diversité culturelle et de libéralisme éthique peut paraître téméraire, mais l'échec du Québec constituerait un fait prémonitoire pour de nombreux autres peuples. Aussi la France et l'Europe ne peuvent-elles demeurer indifférentes au destin de cette nation qui souhaite demeurer fidèle aux valeurs dont elle leur est redevable.

Jacques-Yvan Morin
Professeur émérite de l'Université de Montréal
Membre correspondant de l'Institut
Ancien vice-Premier ministre du Québec

Intellectuel québécois, romancier, essayiste, auteur de dramatiques pour la télévision, Hubert Aquin est né à Montréal en 1929. Diplômé de l'Université de Montréal en philosophie, il poursuit ses études à Paris à l'Institut d'études politiques. À son retour à Montréal en 1955, il est script pour Radio-Canada, auteur de scénarios et réalisateur à l'Office national du film (ONF).

Militant pour l'indépendance du Québec, Hubert Aquin est un membre actif du Rassemblement pour l'indépendance nationale de 1960 à 1968. C'est alors qu'il annonce publiquement dans une lettre au journal *Le Devoir* qu'il prend « le maquis » et se fait « Commandant de l'Organisation spéciale », afin d'allier ses forces à celles du Front de libération du Québec. Un mois plus tard, il est arrêté pour port d'arme, à bord d'une voiture volée. Sur les conseils de son avocat, il plaide la folie passagère, lâcheté qu'il regrettera plus tard, et est interné quatre mois dans un hôpital psychiatrique. Il commence à y écrire son roman le plus connu, *Prochain épisode*, publié en 1965 à Montréal, puis à Paris.

Ses recueils d'essais, *Point de fuite* (1963) et *Blocs erratiques*, sont parmi ses œuvres les plus importantes. L'écrivain y étudie les rapports du culturel et du politique.

Directeur pendant dix ans de la revue littéraire *Liberté*, dans les années 70, il enseigne ensuite dans diverses universités nord-américaines, dont l'Université du Québec à Montréal, puis est brièvement directeur littéraire aux Éditions La Presse, poste qu'il quitte un an plus tard. Hubert Aquin va mettre fin à ses jours en 1977 à Montréal.

Profession : écrivain

« Depuis que j'ai fait inscrire cela dans mon passeport, je n'ai pas cessé de commettre des sacrilèges contre cette investiture consulaire, à tel point que j'en suis arrivé à me réjouir de tricher avec ma vocation et même à me transformer systématiquement en non-écrivain absolu. À répéter que je ne suis plus un manieur de mots, il ne m'a pas échappé que je nourrissais hypocritement l'ambition de surprendre ma clientèle par un retour non moins inattendu que fracassant... Mais, le temps de changer de profession ailleurs que sur mon passeport, j'ai dû me rendre à l'évidence que, pour mes interlocuteurs, mes activités antérieures me constituent définitivement en homme de lettres. Quelques commandes de textes, une incorporation irréversible, en quelque sorte, à la Société des Auteurs : il a fallu aussi peu que cela pour me rappeler que je suis désormais – et en dépit de mes dénégations et de mes dispersions – engrené sans huile dans une mécanique qui me remet à ma place. Cercle vicieux que mon circuit social-biographique !... »

Hubert Aquin, *Point de fuite,*

Édition originale : © Éditions du Cercle du Livre de France, 1971.

Édition critique : © Leméac Éditeur, 1995.

Avec *Le Déclin de l'empire américain,* une comédie érotique désopilante de 1987, Denys Arcand rencontre un succès international. Sa critique sociale perspicace et satirique est très drôle. Le film met en scène cinq professeurs d'histoire, une épouse et deux étudiants qui parlent avec un humour cynique de leur carrière et de leur vie sexuelle.

Le Déclin de l'empire américain est aussi un film à thèse. L'obsession du bonheur personnel dans une civilisation est symptomatique de son déclin, comme dans la Rome antique, en France sous l'Ancien Régime, et aujourd'hui dans « l'empire américain ». Arcand montre avec humour comment cette élite universitaire est elle-même obsédée par cette recherche du bonheur. Le film a été récompensé par de nombreux prix.

En 2003, *Les Invasions barbares,* suite officielle du *Déclin,* apportent à Denys Arcand la consécration. Les mêmes interprètes ont repris leur rôle pour le plus grand bonheur des spectateurs. Le film reçoit en 2004 l'oscar du meilleur film en langue étrangère et est récompensé au Festival de Cannes.

Les Invasions barbares abordent l'angoisse de la génération du baby-boom à l'approche de la mort et parle de la déliquescence du système public de santé. Professeur d'université, cinquantenaire et divorcé, Rémy est à l'hôpital, souffrant d'un cancer en phase terminale. Son fils arrivé de Londres remue ciel et terre pour adoucir les derniers moments de son père. Parents, amis et amantes se retrouvent au chevet de Rémy pour l'entourer de leur amitié, offrir leur soutien et régler leurs comptes. Les thèmes les plus sérieux sont abordés avec humour. Une comédie de mœurs drôle, tendre, douce-amère, très dynamique, pleine d'entrain et d'imprévisible. Les personnages sont érudits et cultivés, mais jamais prétentieux ni pédants. Ce sont tous des jouisseurs de l'existence, à commencer par Rémy, grand amateur de femmes tout au long de sa vie et bon vivant.

Le cinéaste est né en 1941 à Deschambault au Québec. Réalisateur, scénariste et acteur, son style très varié a évolué au fil de sa carrière. Après des études d'histoire, il entre à l'Office national du film (ONF). Ses premiers courts-métrages sont des documentaires socioculturels sur le Québec : *Champlain* en 1964, puis *Les Montréalistes* et *La Route de l'ouest.* Trilogie historique où il est question des débuts de la Nouvelle-France et de la découverte du continent nord-américain.

L'œuvre de fiction d'Arcand débute avec *La Maudite Galette* en 1971. Il y intègre les acquis du direct et une esthétique classique qui évoque Jean Renoir.

Déçu par le résultat du référendum de 1980 pour la souveraineté du Québec, le cinéaste tourne deux films en anglais selon la norme hollywoodienne. Puis il faut citer *On est au coton,* dans lequel il filme en parallèle la journée d'un travailleur et celle d'un patron d'usine. Suivent alors *Gina,* et *Le Crime d'Ovide Plouffe.*

Trois ans plus tard, *Jésus de Montréal* est en lice comme meilleur film étranger à la cérémonie des oscars. Très original, à l'aide de textes historiques, Denys Arcand met en perspective la vie de Jésus, confronte morale religieuse et création artistique, et obtient la palme du meilleur scénariste.

Que ce soit avec ses documentaires ou ses films de fiction, Denys Arcand a construit une œuvre rigoureuse, souvent pleine d'humour et toujours lucide.

Automatisme
Borduas, Riopelle,
Esquisse d'un moment

« Automatisme ? Plus exactement : soumission avantageuse aux sollicitations de la spontanéité, de l'indiscipline picturale, du hasard technique, du romantisme du pinceau, des débordements du lyrisme. Car telle est la règle d'or que découvrirent sans maître et loin des foules, mais non sans lucidité, ces Canadiens nouveaux [1]. »

Les deux œuvres choisies, *Sans titre* de Jean-Paul Riopelle et *14.48 ou Cimetière glorieux* de Paul-Émile Borduas, présentées dans cet ouvrage (pages 41 et 133), illustrent le but de mon propos : donner un aperçu du moment critique et créatif de l'histoire de la peinture au Québec, qui prépara l'événement historique de la publication en 1948 du manifeste *Refus global*. Cet événement a marqué un point de rupture avec le « Vieux Québec » [2].

Si les années d'après-guerre ont donné naissance à des formes variées d'art abstrait à travers le monde, le phénomène québécois – plus spécifiquement montréalais – va débuter aux environs de 1942 avec un groupe d'artistes enthousiastes connus sous le nom d'Automatistes. À leur tête, Paul-Émile Borduas, un artiste au statut presque mythique au Québec, qui, contrairement à son élève Riopelle, ne fut pas connu en dehors de son pays.

L'objectif précis des Automatistes, groupe formé de peintres, mais aussi de poètes, de critiques d'art et de danseuses, était de s'ouvrir avec enthousiasme à un monde qui jusqu'alors leur était hors d'atteinte, compte tenu des limites imposées par un nationalisme oppressant et un catholicisme rigide. Pendant les années 40, ces jeunes artistes s'étaient ouverts aux courants de l'art international grâce aux journaux, aux livres récents et au critique d'art Maurice Gagnon, leurs esprits étaient nourris des écrits – alors interdits au Québec – de Breton, Baudelaire, Rimbaud, Lautréamont et Jarry. Tous ces textes étaient à l'index.

1. « Les Parisiens ont découvert les œuvres des Automatistes grâce à l'article de Léon Degand, présentant l'exposition qui leur a été consacrée à la Galerie du Luxembourg du 20 juin au 13 juillet 1947. » François-Marc Gagnon, *Paul-Émile Borduas*, Musée des beaux-arts de Montréal, 1988, p. 123.

2. « Refus global, le manifeste du mouvement automatiste », textes de François-Marc Gagnon et René Viau, Paris, Services culturels de l'Ambassade du Canada, 1998, p. 17.

Un grand nombre d'entre eux parmi lesquels Françoise Sullivan, Jeanne Renaud, Fernand Leduc et Jean-Paul Riopelle vont venir à New York ou à Paris et rencontrer la personnalité la plus influente à leurs yeux : André Breton. Tandis que le surréalisme de Breton pouvait alors être à peine considéré comme la découverte d'un art d'avant-garde. Fernand Leduc le nomme « édifice somptueux mais vermoulu ». Telle est l'origine d'une approche nouvelle et originale de la peinture qui va émerger du contexte socio-logique du Québec de l'époque. Le sens particulier des techniques de l'écriture automatique de Breton sera adopté et transformé par Paul-Émile Borduas en une nouvelle approche de la peinture et enseigné à ses disciples. Pour les Automatistes, cette méthode permet de libérer l'inconscient, ce qui contraste radi-calement avec l'idéologie de l'époque, et conduit Borduas à prôner dans *Refus global* le « refus de toute INTENTION, arme néfaste de la RAISON ».

En dépit de ce contexte historique tout à fait spécifique d'où va émerger une nouvelle liberté d'expres-sion pour ces artistes québécois, leur peinture a des affinités non seulement avec l'abstraction lyrique française, mais aussi – plus étroitement – avec l'art de leurs voisins américains nommés les Expression-nistes abstraits. À leurs racines communes puisées dans la philosophie jungienne, s'ajoutent l'abandon des règles académiques et le refus de reproduire les surfaces du monde physique. Ils ont voulu insister sur la matérialité de leur peinture, résultat d'une action spontanée de l'application de la peinture en deux dimensions. Leur gestuelle spontanée est saisissante, sans préjugés. Leur peinture est tantôt voluptueu-se, tantôt violente ou mystérieuse.

Dans *Refus global*, Borduas parle de la nécessité de « mettre fin aux coups du passé qui annihilent à la fois le présent et le futur ». Pour les deux peintres, Jean-Paul Riopelle et Paul-Émile Borduas, leurs œuvres représentées ici sont déjà les témoins d'une période féconde. Avec cette période de ferment créatif extraordinaire, une nouvelle ère va s'ouvrir au Québec.

Même si le poids de l'histoire est momentanément mis de côté, l'art des Automatistes s'exprime au-delà de la reconnaissance de la subjectivité de chaque artiste. Il rend compte d'une intense créativité qui conti-nue à occuper une place majeure dans l'histoire de la peinture québécoise.

Anne Grace[3]
Conservatrice de l'art moderne
Musée des beaux-arts de Montréal

3. Je reste très reconnaissante à François-Marc Gagnon pour ses analyses ainsi que pour les recherches exhaustives qu'il a menées. Ses nombreux ouvrages sur Paul-Émile Borduas et les Automatistes font tout à fait autorité et restent sans égal.

BAVEUX {arrogant}

Dès 1974, Yves Beauchemin s'est fait connaître avec *L'Enfirouapé*, déformation de l'anglais *in for wrapped*, celui qui s'est fait rouler. *L'Enfirouapé*, c'est lui, mais c'est aussi les Québécois souverainistes qui, en octobre 1970, ont vu disparaître leurs rêves.

Yves Beauchemin est un romancier à succès né en 1941 à Noranda, en Abitibi. Après une licence de lettres à l'Université de Montréal, il est tour à tour professeur, éditeur, cinéaste, directeur musical et recherchiste à Radio-Québec. Depuis près de trente ans, il vit de sa plume.

Avec *Le Matou* en 1980, Yves Beauchemin connaît un succès international. Ce roman de près de 600 pages déborde d'action et d'imagination joyeuse: un jeune Montréalais rêve d'avoir un restaurant et « Monsieur Émile », un gamin de six ans, rêve de se faire adopter avec son chat. D'autres personnages sont attachants et inquiétants comme le vieux Ratablavasky. *Le Matou* est rapidement devenu un succès de librairie au Québec et en France. Adapté au cinéma par Jean Beaudin, le roman a été traduit en une quinzaine de langues.

Près de dix ans après *Le Matou*, Yves Beauchemin publie *Juliette Pomerleau*, roman qui reçoit un accueil enthousiaste tant en France qu'au Québec. Une œuvre monumentale qui parle de musique et d'obésité. L'auteur plonge le lecteur dans des aventures qui le ravissent. Une série de dix heures pour la télévision a été adaptée du roman par Claude Fournier et diffusée en 1999.

Yves Beauchemin poursuit une brillante carrière littéraire. Sa narration est riche en péripéties de toute sorte. Son œuvre donne un grand plaisir de lecture. Sa trilogie, *Charles le téméraire*, évolue au rythme du Québec du siècle dernier. Ce n'est pas un roman historique, mais un « roman social aux personnages toujours aussi colorés et attachants, chroniques d'un Québec des années 70 en pleine effervescence ».

Monsieur Émile

« Le lendemain fut marqué
par un événement extraordinaire.
– Qu'est-ce que tu veux encore, toi ?
demanda Florent en voyant revenir
pour la troisième fois, les poches gonflées
de billets de banque, le gamin qui, la veille,
avait quelque peu terni la réputation
de Rosario Gladu.
– Ma mère, là, elle demande si vous auriez
pas…
– Ta mère va finir par défoncer le plancher,
mon vieux, si elle continue de manger
à cette vitesse, répliqua Florent qui essayait
en vain de prendre une mine sévère.

Le petit garçon serra les lèvres, pencha
la tête et se mit à fixer le plancher.
– Qu'est-ce qu'elle veut manger, cette fois,
ta mère ? demanda Élise avec douceur.
– Deux boîtes de sardines. Des grosses.

Florent se mit à rire : – C'est l'épicier
qui en vend, pas moi. Es-tu bien sûr
que c'est ta mère qui t'envoie ?
lui demanda-t-il avec un sourire malicieux.

Le petit garçon prit un air suprêmement
offensé, fit quelques pas vers la porte,
puis, se ravisant, revint se planter devant
le comptoir : – Non, c'est mon chat, fit-il
en le toisant.
– Ton chat ? s'écria Florent. Et le boudin de
tout à l'heure, c'était pour ton chat aussi ? »

Yves Beauchemin, *Le Matou*,
© Éditions Québec-Amérique, 1981.

L'année du matou

Aux environs des années 80, la rumeur parvint à Paris qu'un gros roman venait de connaître au Québec un succès considérable, tel que l'on n'en avait pas connu depuis *Maria Chapdelaine*. Cette nouvelle inquiéta fortement les libraires pour la raison suivante. Quelques années plus tôt, un autre roman venant du Québec avait obtenu le prestigieux prix Goncourt, entraînant des ventes importantes, mais provoquant en retour de véhémentes protestations des clients. En effet, le roman en question était écrit en « joual », un dialecte local qui ne ressemble que d'assez loin au français de France. Tout ce qui venait du Québec provoquait depuis lors une immédiate suspicion.

Mais *Le Matou* fut au contraire une bonne surprise. Loin d'être encombré de régionalisme obscur, la prose de son auteur était farcie d'expressions, de jurons, de tournures qui n'entravaient pas la lecture mais donnaient au récit, comme des épices inattendues, une odeur et une saveur pleines de gaîté. Ce qui me frappe, à distance, dans le souvenir du livre-manifeste d'Yves Beauchemin, c'est son allégresse, sa jeunesse, sa belle humeur, cette énergie verbale et vitale, dans laquelle baignait tout le récit. Il n'y avait rien de naïf dans cette gaîté, aucune sensiblerie facile, aucun optimisme de commande. La rudesse des combats qu'il faut livrer pour survivre n'y était pas cachée, et les caractères noirs ou tortueux y étaient bien représentés. La tragédie n'était jamais loin. La mort, l'échec, en dépit de la verve et de la truculence, ne demandaient qu'à faire irruption.

Quel monde que celui de Beauchemin, où au milieu de deux fous rires, on voit s'ouvrir une trappe, et le drame se saisir des acteurs !

Beauchemin possédait le don suprême du romancier, celui du conteur : les enchaînements rapides, la constante invention des épisodes, le charme inattendu des péripéties. Avant tout, il était un grand créateur de personnages. Son roman portait un beau titre, *Le Matou*. On sait qu'un titre de roman doit avoir quelque chose d'un titre « trouvé », fait pour devenir le titre d'un roman, au point que l'on se demande s'il n'existait pas déjà, et si l'écrivain n'a pas cherché simplement à le mettre à jour.

L'histoire du *Matou* était celle d'un jeune homme qui rêve d'ouvrir un restaurant, mais qui n'en a pas les moyens, et à qui un mystérieux étranger proposait une aide financière, sans motif apparent. Pourquoi refuser une aide qui vous tombe du ciel ? Mais le bienfaiteur se révélait un malfaisant, ayant pour dessein une sombre machination, et le restaurateur et sa jeune femme se trouvaient entraînés dans une cascade de difficultés, frôlant les précipices.

Le Matou, on l'a compris, était l'histoire d'une tentation. Et le mystérieux bienfaiteur n'était autre que celui qui a toujours offert, dans toutes les générations, à tous les « Faust » du Québec ou d'ailleurs, un marché dans lequel ils courent le risque de perdre leur âme : c'était le Diable en personne. Pour Beauchemin, le Diable parlait anglais ! Le titre était beau, en outre, parce qu'il était ambigu. *Le Matou* était bien cet inquiétant personnage, mais il y avait aussi dans le roman un chat perdu, vilain, efflanqué, qui n'était pas un chat de race choyé par ses maîtres, mais un de ces chats solitaires, comme il y en a toujours eu dans les grandes villes, avant l'installation des restaurants chinois. Ce chat s'était attaché à un petit garçon de sept ans, qui l'avait adopté, à moins que ce ne soit le contraire, et tous les deux trouvaient refuge chez le propriétaire du restaurant.

Le petit garçon était déjà passablement alcoolique, et sa mère prostituée lui donnait beaucoup de souci. Mais l'un comme l'autre, ils ne cédaient jamais à l'abattement. Les péripéties qui s'ensuivaient n'obéissaient jamais à la construction mécanique des romans-feuilletons.

Le Matou plut parce qu'il n'était ni un roman littéraire ni un roman populaire : c'était un roman de romancier, d'un romancier qui avait sûrement lu Balzac, et Dickens, et Tchekhov, mais qui paraissait avoir trouvé tout seul les éternelles recettes de l'art du conte, et qui avait su peindre, en regardant autour de lui, des personnages qui frappaient l'imagination et se fixaient dans la mémoire.

Tous ces originaux qu'on rencontrait sur sa route, un vieil abbé graphomane qui avait décidé de déchiffrer le dernier manuscrit de Gogol, une dame excentrique, un cuisinier au grand cœur, une chienne généreuse, tous avaient la présence, la force de l'inattendu, du réel. Aucun ne sortait d'une boîte à accessoires. Et nous partions pour la Floride, et nous séjournions quelque temps dans un village éloigné pendant l'interminable hiver canadien et nous revenions à Montréal. Montréal qui était dans *Le Matou* comme le Paris de Victor Hugo dans *Les Misérables*, le cœur et le poumon de tout un peuple.

Nous avons tous plusieurs patries. Les habitants du Québec en ont quatre. Par la langue, ils sont français. Par le cœur, ils sont québécois. Par la nationalité, ils sont canadiens. Par le Commonwealth – ou ce qui en reste –, ils appartiennent au Royaume-Uni. Entre les deux premières patries, le Québec et la France, il existe un léger différend. Les Québécois nous aiment bien, mais ils nous en veulent toujours un peu de les avoir laissés tomber après la mort de Montcalm. Entre les deux premières patries et les deux autres, il existe un différend plus grand encore. Isolés tout au bout d'un continent anglophone, les Québécois ressentent cruellement la domination d'une langue anglaise qui fera disparaître, avec leurs souvenirs, leur vraie richesse.

Yves Beauchemin ne faisait jamais état dans ses romans de cette anxiété, mais le combat qu'il livrait pour la défense de cette richesse était le ressort de son œuvre. Elle frappait parce qu'elle était débordante de vie. À lui seul, ces six cents pages de tendresse et de truculence auraient fait entrer son nom dans l'histoire littéraire de son pays, c'est-à-dire du nôtre. Mais Beauchemin eut encore l'occasion de révéler d'autres facettes de son talent et de se surpasser avec les romans qu'il publia ensuite, dont le merveilleux *Juliette Pomerleau*, où la musique, véritable *deus ex machina*, qui ne connaît ni tension ni frontière, apparaissait comme la récompense et le salut des corps et des âmes.

Bernard de Fallois
Président des Éditions de Fallois

Le poète prend part jeune à la vie littéraire de l'avant-garde montréalaise. Très vite, il devient l'un des principaux défenseurs de la «Nouvelle écriture» des années 70, par ses prises de position et ses écrits aux allures de manifeste.

Né à Montréal en 1948, poète, critique, essayiste, Claude Beausoleil, après des études de lettres et d'histoire de l'art, est professeur de littérature.

Claude Beausoleil a publié plus d'une soixantaine d'ouvrages depuis 1972, entre autres : *Intrusion ralentie, La Surface des paysages, Au milieu du corps l'attraction s'insinue*. Sa poésie parle de la ville et de la solitude, du voyage. Lyrique, engagée, postmoderne et baroque, cette poésie est nourrie des transformations de l'époque.

La même passion marque son activité de critique et ses essais montrent l'originalité de la littérature québécoise et situent celle-ci dans le phénomène plus global de la culture.

Claude Beausoleil s'intéresse à la poésie francophone contemporaine. Ses poèmes ont été traduits en une dizaine de langues.

«Je suis un voyageur
que le langage invente
je ne demande rien
je cherche le désir
quelque part en moi-même
au plus loin des frontières
dans des rues aux distances
imaginées de brume.»

Claude Beausoleil, *Grand Hôtel des étrangers*,
© Écrits des Forges (Trois-Rivières), 1997.

Claude Beausoleil, vous êtes poète québécois, parlez-nous de vos origines.

Je suis né à Montréal, au Québec, en Amérique du Nord. Je vis, je parle et j'écris en français, ma langue maternelle, et pourtant, je ne suis pas français. Étrange aventure que cette destinée liée à une histoire, un contexte, une ténacité, et quelque part, aux vibrations du hasard.

Que pensez-vous de la créativité québécoise ?

La créativité est spécifique aux minorités qui ne sont pas complètement écrasées. Notre caractéristique de base, c'est d'être minoritaire sur un continent, ce qui engendre une certaine folie créatrice. Après le Régime français, il y a eu une douleur d'abandon. C'est cette blessure de naissance que l'on essaye de combler par autant de créativité.

Vous écrivez en français pour le monde ?

La langue diffuse une musique singulière, universelle, exprimant l'être à l'autre. J'entends des sons français, ceux de la Nouvelle-France, ceux de l'après-conquête, de la Révolution tranquille, de la modernité. Je suis d'Amérique, mais c'est la langue française qui porte mes rêves, mes terreurs, mes intuitions, mes devenirs.

Expliquez-nous l'amour des Québécois pour la poésie.

Le rapport des Québécois à la poésie vient de l'oralité, c'est pour cela que notre poésie, même moderne, est très sonore, comme un chant. La musicalité de la poésie, de l'oralité et des chansons a duré chez nous jusqu'aux années 1968, même en milieu urbain, avec les fêtes de famille, et ce que l'on appelait «les chansons à répondre». Par exemple, «Par-derrière chez mon père, il y avait un joli bois...», la famille répétait.

Êtes-vous inspiré par «votre nature» ?

La nature est aussi en ville. Montréal est une ville originale avec «la Montagne» et le parc La Fontaine. Traverser le pont Jacques-Cartier à Montréal, ou le pont suspendu Laviolette à Trois-Rivières, c'est comme être dans le vide, c'est admirable.

Considérée comme l'une des plus grandes écrivaines de sa génération, Marie-Claire Blais domine le paysage littéraire du Québec depuis quarante ans.

Romancière et poétesse, Marie-Claire Blais est née à Québec en 1939. Suivant des cours à l'Université Laval, elle est encouragée à écrire dès l'âge de dix-sept ans. Son premier roman, *La Belle Bête*, publié alors qu'elle a vingt ans, est accueilli par une critique bienveillante.

Après de longs séjours à l'étranger, puis au Québec, Marie-Claire Blais vit et écrit depuis plus de dix ans à Key West en Floride. Elle a publié cinq pièces de théâtre, des recueils de poésie, une vingtaine de romans en France et au Québec : *Une saison dans la vie d'Emmanuel*, *Manuscrits de Pauline Archange*, *Le Sourd dans la ville*, *Visions d'Anna*, *Soifs*. La forme est fluide, sa phrase longue et enveloppante.

Visions d'Anna emprunte le regard d'une adolescente pour démasquer l'oppression d'une société où le seul lieu encore habitable serait l'espace qu'illumine l'Amour ou l'Art.

Les romans de Marie-Claire Blais évoquent les luttes et les souffrances humaines, les difficultés de notre vie moderne. « On peut tout voir et ne rien oublier, nous sommes surchargés de visions », dit-elle. Et elle ajoute : « L'écrivain est un artiste, il arrive avec sa poésie et doit faire passer ses obsessions, le sort de la planète et celui du monde, à travers une beauté lyrique. Le but est que ce soit assimilé. » Son œuvre est traduite en plusieurs langues.

Une saison dans la vie d'Emmanuel, *Le Sourd dans la ville* et *La Belle Bête* ont été portés à l'écran.

La naissance de Jean-Le-Maigre

« Dès ma naissance, j'ai eu le front couronné de poux ! Un poète, s'écria mon père, dans un élan de joie. Grand-Mère, un poète ! Ils s'approchèrent de mon berceau et me contemplèrent en silence. Mon regard brillait déjà d'un feu sombre et tourmenté. Mes yeux jetaient partout dans la chambre des flammes de génie. "Qu'il est beau, dit ma mère, qu'il est gras, et qu'il sent bon ! Quelle jolie bouche ! quel beau front !" Je bâillais de vanité, comme j'en avais le droit. Un front couvert de poux et baignant dans les ordures ! Triste terre ! Rentrées des champs par la porte de la cuisine, les Muses aux grosses joues me voilaient le ciel de leur dos noirci par le soleil. Aïe, comme je pleurais, en touchant ma tête chauve. [...] Tuberculos Tuberculorum, quel destin misérable pour un garçon doué comme toi, oh ! le maigre Jean, toi que les rats ont grignoté par les pieds...

    Pivoine est mort
    Pivoine est mort
    À table tout le monde

Mais heureusement, Pivoine était mort la veille et me cédait la place très gentiment. Mon pauvre frère avait été emporté par l'épi... l'api... l'apocalypse... L'épilepsie quoi... »

Marie-Claire Blais,
Une saison dans la vie d'Emmanuel,
© Éditions Grasset & Fasquelle, 1966.

BLONDE {copine, amie de cœur}

Ses interventions pleines de fougue à la télévision française ne nous ont pas laissés indifférents. C'est avec un discours courageux, direct, juste et provocateur que Denise Bombardier se bat depuis longtemps pour la défense du français. Ses prises de position engendrent souvent des réactions passionnées. Elle aime susciter des débats d'idées et ne craint ni la polémique ni la provocation.

Née à Montréal dans les années 40, Denise Bombardier est journaliste, romancière et essayiste.
Tout d'abord recherchiste pour Radio-Canada, elle devient animatrice de « Noir sur blanc », première émission d'affaires publiques animée par une femme au Québec où elle reçoit entre autres le Premier ministre du Canada Pierre-Elliott Trudeau, le président français Valéry Giscard d'Estaing, et son successeur François Mitterrand.

Denise Bombardier est l'auteur de nombreux ouvrages. *Une enfance à l'eau bénite*, publié en 1990, relate son enfance et son adolescence tristes et douloureuses, dans un monde de tabous, d'ignorance, de répression et d'hypocrisie.

Dans sa *Lettre ouverte aux Français qui se croient le nombril du monde*, l'écrivaine met les Français face à leurs contradictions. Elle dresse un portrait au vitriol d'un peuple qui, selon elle, « semble se convaincre que ses forces sont ses faiblesses ».

Elle collabore à divers journaux : *Le Monde, Le Devoir, L'Express, Châtelaine, Le Point* et *L'Actualité*. Actuellement Denise Bombardier tient une chronique hebdomadaire dans le quotidien *Le Devoir*.

Une certaine idée de la France

« J'avoue donc que j'aime la France. Je revendique cet amour et, par voie de conséquence, j'éprouve de l'affection pour vous Français au point qu'il m'arrive aussi de vous défendre devant vos détracteurs, en particulier les francophones de la planète que vous avez le don d'irriter, de décevoir de parfois humilier. Nous, non-Français de droite ou de gauche, n'avons pas attendu que la gauche en France soit portée au pouvoir et finisse par admettre la grandeur du général de Gaulle. Depuis toujours, nous avons partagé avec le grand homme une "certaine idée de la France". Une idée reposant non sur la nostalgie d'une époque guerrière ou coloniale, mais sur ce que nous croyions être le foyer d'une civilisation commune, une manière d'être au monde, une culture respectueuse de la créativité, de l'audace, du bon goût et de la liberté. [...] Enfin, et aucun lecteur ne s'en étonnera, je me scandalise de l'inconscience avec laquelle, gauche et droite confondues, vous laissez l'anglais vous envahir jour après jour, pâmés que vous êtes de pouvoir baragouiner "in englische", assurance à vos yeux d'être à la mode, c'est-à-dire technologiquement en prise et culturellement émancipés. Faut-il vous rappeler que la défense de la culture de langue française ne peut pas relever que des francophones non français ? »

Denise Bombardier, *Lettre ouverte aux Français qui se prennent pour le nombril du monde*,
© Éditions Albin Michel, 2000.

BON ANNIVERSAIRE QUÉBEC !

La France a rendu hommage au peuple québécois et à ses origines françaises. À Québec, elle marque, par l'aménagement du Centre de la Francophonie des Amériques, l'union de nos peuples d'une empreinte indélébile. Mais quel message Samuel de Champlain a-t-il pu adresser aux représentants des premières nations qui l'ont accueilli au bord du Saint-Laurent le 3 juillet 1608 ? Le temps nous a permis de le déchiffrer : la diversité fonde l'avenir. Avec la ville de Québec, avec la nation québécoise, avec l'État canadien, la France reste fidèle à l'audace créatrice de ce « navigateur d'avenir ». Nous avons fait la fête avec Québec et construisons le futur de notre coopération. Sur le bord du Saint-Laurent, Québec vous tend les bras, répondez à l'appel du Premier ministre du Québec, Jean Charest, qui vous dit « Français, venez chez nous », découvrez « cette voie rapide pour pénétrer l'Amérique ».

C'est à une rencontre de passion que l'on vous convie, et au-delà, ensemble, nous nous engageons pour que la diversité devienne une valeur universelle. La France a mobilisé son affection généreuse, et proposé aux Québécois des événements inédits, et, en France, elle a accompagné plus de deux cents événements sur tout notre territoire et exprimé ainsi différentes formes de la diversité.
Diversité culturelle et linguistique par laquelle nous affirmons notre détermination à faire vivre la convention de l'Unesco sur la protection et la promotion des expressions culturelles.
Diversité économique qui permet d'accompagner nos entreprises sur le marché américain : Québec est la porte d'entrée pour ces marchés, la France la porte d'entrée sur l'Europe pour le Québec.
Diversité territoriale qui nourrit la coopération gouvernementale de projets proches des populations. Le renforcement du partenariat entre les pôles de compétitivités et les créneaux d'excellence en est le témoignage, notamment dans le domaine de l'aéronautique ou de la santé.

Il s'agit pour la France de réaffirmer la relation privilégiée et directe qui existe entre les deux gouvernements. Depuis quarante ans, cette volonté politique a toujours été poursuivie. Cette relation se situe au-dessus des partis politiques, les changements politiques de chaque côté de l'Atlantique ne l'ont jamais remise en cause parce qu'elle est unique. C'est pourquoi ce 400e anniversaire m'a permis de travailler « aux preuves d'amour » qu'il faut toujours ajouter à l'amour entre les peuples. Mais je n'oublie pas que le Canada est un pays « né en français » selon les mots de son Premier ministre, il peut compter sur l'amitié fidèle de la France, notre fraternité avec la nation québécoise nous oblige.
Merci à toutes celles et tous ceux qui ont mis leur intelligence au service de ce grand projet « Ensemble nous montrons qu'aimer la diversité, c'est aimer l'avenir ».

Jean-Pierre Raffarin
Ancien Premier ministre, sénateur, président du Comité français d'organisation
pour le 400e anniversaire de la fondation de Québec

Paul-Émile BORDUAS

Le père de *Refus global* est une personnalité majeure de la scène artistique québécoise. Paul-Émile Borduas, peintre, sculpteur et professeur, est né en 1905 à Saint-Hilaire-sur-Richelieu, près de Montréal. Il étudie avec le peintre Ozias Leduc, puis est l'élève de Maurice Denis à Paris. Il se consacre à l'enseignement avant de commencer à réaliser des œuvres abstraites à partir de 1937.

Pour lui, l'artiste doit rejeter toute forme de préparation pour se concentrer sur ses émotions du moment et ses pulsions inconscientes. Sa rencontre avec André Breton au Canada après 1940 est déterminante pour son art.

L'artiste pratique alors la peinture automatique et le tachisme. Son influence est grandissante auprès de jeunes étudiants peintres. En 1948, Borduas publie *Refus global*, manifeste d'une dizaine de pages, au ton résolument nouveau et virulent, contresigné par quinze de ses jeunes amis connus sous le nom d'Automatistes.

Refus global s'élève contre l'art académique et prône la liberté individuelle. Il s'attaque au clergé et à la classe politique dirigeante qui vont alors le condamner. Pour Borduas, il faut attendre du renouvellement de la sensibilité, une transformation profonde de l'ordre social.

Les « idées révolutionnaires » de Borduas vont guider les intellectuels réformateurs québécois vers « la Révolution tranquille », et l'obliger à vivre à New York en 1953. Deux ans plus tard, il va s'installer à Paris où le succès escompté n'est pas au rendez-vous.

Paul-Émile Borduas ne verra pas de son vivant les bienfaits de la nouvelle culture tant souhaitée. De plus en plus désabusé, sa peinture *Composition 69*, trouvée sur son chevalet à sa mort, est faite d'aplats de peinture noire, éclairée d'un peu de blanc en haut de la toile. Elle ressemble en quelque sorte à un faire-part de décès. En 1960, le peintre s'éteint à Paris dans son atelier.

14.48
ou Cimetière glorieux

« Au premier plan, des petits damiers inégaux flottent et glissent sur la toile telle une cascade. Ils forment une sorte d'écran d'où surgit le fond. L'application de la peinture au couteau laisse apparaître dans le blanc, des verts, des oranges, des rouges et des bruns. À l'arrière-plan du tableau la même palette de larges aplats indéfinis, irréguliers et lisses, est étalée hormis le blanc. Des références à la nature, aux paysages ou à des formes végétales, sont bien présentes, mais l'abstraction domine. »

Anne Grace
Conservateur de l'art moderne
Musée des beaux-arts de Montréal

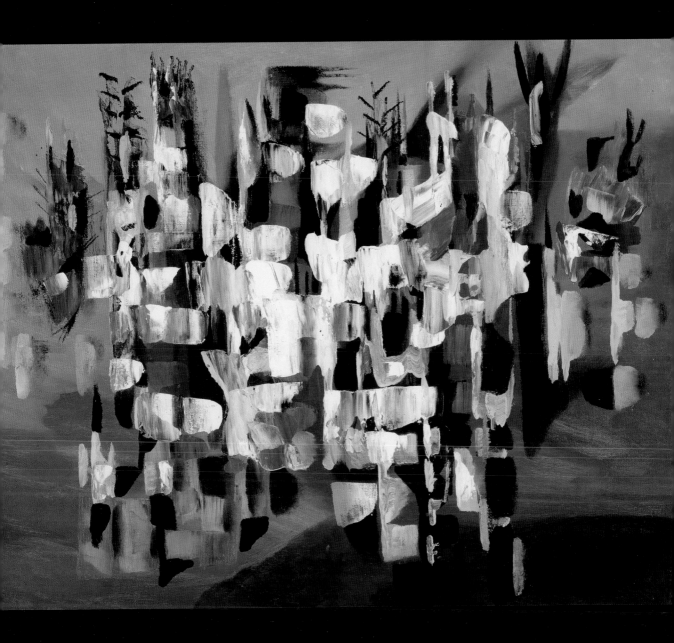

14.48 ou Cimetière glorieux, 1948

Huile sur toile, 65 x 80,9 cm
Musée des beaux-arts de Montréal
Don de M. et Mme Denis et de Magdeleine Noiseux,
photo MBAM, Christine Guest
© Adagp, Paris, 2010.

Chanteuse québécoise francophone de renom, Isabelle Boulay est née en 1972 à Sainte-Félicité, en Gaspésie. Elle commence à chanter très jeune dans le restaurant de ses parents. Lauréate en 1991 d'un Festival de la chanson au Québec en interprétant *Amsterdam* de Jacques Brel, elle est invitée la même année aux Francofolies de Montréal.

En 1993, l'artiste remporte le trophée de la chanson francophone à Périgueux. Peu après, Isabelle Boulay prête sa voix à la chanteuse Alys Robi dans la série télévisée du même nom, et se fait connaître du grand public québécois. Repérée par Luc Plamondon, elle interprète Marie-Jeanne dans l'opéra rock *Starmania* pour 350 représentations, ce qui contribue à son envol en solo dès 1996.

L'album *Mieux qu'ici-bas*, vendu à un million d'exemplaires, lui apporte la consécration en 2000. Isabelle collabore avec de nouveaux auteurs tels que Patrick Bruel et J. Kapler. D'où des tubes comme *Parle-moi*, *Un jour ou l'autre* ou *Quelques pleurs*.

Isabelle connaît une grande notoriété tant au Québec qu'en Europe. Elle rencontre son plus gros succès en France en 2000 avec le titre *Parle-moi*.

Le 14 février 2008, l'artiste s'est vue remettre par le maire de son village la médaille de l'Assemblée nationale du Québec pour sa contribution aux Arts de la scène.

Parle-moi

« Je ne sais plus comment te dire
Je ne trouve plus les mots
Ces mots qui te faisaient rire
Et ceux que tu trouvais beaux

J'ai tant de fois voulu t'écrire
Et tant de fois courbé le dos
Et pour revivre nos souvenirs
J'ai même aussi frôlé ta peau

Oh, dis-moi
Regarde-moi
Je ne sais plus comment t'aimer
Ni comment te garder

Parle-moi
Oui parle-moi
Je ne sais plus pourquoi t'aimer
Ni pourquoi continuer

Tu es là, mais tu es si loin,
De moi

Je ne sais plus comment poursuivre
Cet amour qui n'en est plus
Je ne sais plus que souffrir
Souffrir autant que j'y ai cru

Mais je sais qu'il me faut survivre
Et avancer un pas de plus
Pour qu'enfin cesse la dérive
Des moments à jamais perdus... »

Isabelle Boulay, *Parle-moi*,
paroles et musique : J. Kapler,
© 2000, Music Addict, Montrouge-F.

Michel **BRAULT**

Pionnier, cinéaste de la lumière, du geste et de la parole, Michel Brault est un chef de file du cinéma québécois depuis les années 50. Il est considéré comme une figure importante du septième art mondial.

Né à Montréal en 1928, Michel Brault est tour à tour caméraman, directeur de la photographie, réalisateur et producteur. Il est le premier cinéaste à faire une esthétique de la caméra à l'épaule, pratique aujourd'hui incontournable.

Le cinéaste fait ses classes à l'Office national du film (ONF) comme éclairagiste, à l'époque où l'éclairage hollywoodien est utilisé en studio. Avec lui, l'éclairage s'inspire de la lumière ambiante. L'artiste a une prédilection pour le grand-angle, la mobilité des personnages, des cadrages centrés sur les acteurs au détriment du décor. Ses choix marquent une véritable révolution.

Michel Brault participe à la plupart des œuvres-phares du cinéma direct à l'ONF : *Les Raquetteurs* en 1958, premier exemple de la caméra à l'épaule, et *Pour la suite du monde* de Pierre Perrault, un véritable chef-d'œuvre tourné à l'Isle-aux-Coudres, qui veut remettre au goût du jour la pêche au béluga que les habitants de l'île ne pratiquent plus depuis 1927.

Dans les années 60, le cinéaste est un pont entre le Québec et la Nouvelle Vague française, grâce à sa collaboration avec Jean Rouch. Il est l'interprète en Europe des acquis récents du cinéma direct.

Michel Brault signe son premier long-métrage de fiction en 1967, avec *Entre la mer et l'eau douce*. Puis il réalise *Les Ordres*, film magistral sur la crise d'octobre 1970 au Québec dans lequel il rassemble les faits réels vécus sur cinq personnages fictifs. Le film est présenté à Montréal en 1974, à peine quatre ans après ces événements marquants de l'histoire du Québec. Brault reçoit au Festival de Cannes le prix de la Mise en scène en 1975, ainsi que de nombreuses autres récompenses.

Suivent *Les Noces de papier*, *Montréal vu par*, une coréalisation, *Shabbat Shalom*, *Mon amie Max* et *Quand je serai parti... vous vivrez encore*.

« Il faut le dire, tout ce que nous avons fait en France dans le domaine du cinéma-vérité vient de l'ONF (Canada). C'est Brault qui a apporté une technique nouvelle de tournage que nous ne connaissions pas et que nous copions tous depuis. D'ailleurs, vraiment, on a la "brauchite", ça, c'est sûr ; même les gens qui considèrent que Brault est un emmerdeur ou qui étaient jaloux sont forcés de le reconnaître. »

Jean Rouch, *Cahiers du cinéma*, n° 144, 1963.

CABANON {hangar, remise}

CARREAUTÉ {à carreaux}

La réputation de Robert Charlebois n'est plus à faire. Son premier album sort en 1968, mélange explosif de poésie populaire et de rythmes endiablés de musique rock. Très vite, il se distingue par son style original, mélange d'humour, d'improvisation et de provocation.

Auteur-compositeur-interprète, musicien et acteur, Robert Charlebois est né en 1944 à Montréal. Il étudie le théâtre, et commence une carrière de chansonnier au début des années 60.

Avec Louise Forestier, il chante *Lindberg*, la célèbre chanson de Claude Péloquin, et remporte un immense succès qui le conduit à l'Olympia de Paris. Mais son spectacle déconcerte le public parisien et Bruno Coquatrix, directeur de la salle, excédé par les provocations de l'artiste, annule le spectacle.

Les années qui suivent sont fastes, les bonnes « tounes » se succèdent : *Tout écartillé, Te v'là, Les Ailes d'un ange, Mon pays ce n'est pas un pays c'est un job, Ent' 2 joints, Cartier, Je rêve à Rio*, etc.

En 1976, dans les années qui précèdent l'arrivée au pouvoir du Parti québécois, les artistes créatifs sont galvanisés par une vague de fierté nationale, leur imaginaire est en totale liberté.

De cette époque, un grand classique : *Ordinaire*, un texte de Mouffe, sa compagne et sa muse, personnage-clé dans la carrière de Charlebois, le gars « ben ordinaire ». Quarante ans plus tard, Charlebois s'est assagi, mais il continue à donner des spectacles au Québec et dans l'Europe francophone pour le plus grand plaisir de son auditoire.

Lindberg

« Alors chu r'parti
Sur Québec Air
Transworld, Nord-East, Eastern, Western
Puis Pan-American
Mais ché pu où chu rendu

J'ai été
Au sud du sud au soleil bleu blanc rouge
Les palmiers et les cocotiers glacés
Dans les pôles aux esquimaux bronzés
Qui tricotent des ceintures fléchées farcies
Et toujours ma Sophie qui venait de partir

Partie sur Québec Air
Transworld, Nord-East, Eastern, Western
Puis Pan-American
Mais ché pu où chu rendu

Y avait même, y avait même une compagnie
Qui engageait des pigeons
Qui volaient en dedans et qui faisaient
    [le ballant
Pour la tenir dans le vent
C'était absolument, absolument
Absolument très salissant

Alors chu r'parti
Sur Québec Air
Transworld, Nord-East, Eastern, Western
Puis Pan-American
Mais ché pu où chu rendu. »

Robert Charlebois, *Lindberg*,
paroles et musique : Robert Charlebois / Claude Peloquin
© Les Éditions Gamma Ltee

D'une beauté exceptionnelle, les spectacles du Cirque du Soleil sont enchanteurs et très innovants. Les splendides costumes de ses artistes venus des quatre coins de l'univers sont inspirés par les traditions européennes et chinoises.

Il semble que Guy Laliberté et son équipe aient réinventé le cirque moderne sans le moindre animal. Le Cirque du Soleil ressemble plus à un spectacle de danse et d'acrobates. Il rassemble 1 800 personnes de cinquante nationalités différentes. Créé en 1984 par Guy Laliberté, son propriétaire, le Cirque du Soleil éblouit le monde entier par sa créativité.

C'est à Baie-Saint-Paul, sur la côte de Charlevoix entre les montagnes et le Saint-Laurent, dans un lieu touristique favori des peintres et des artistes, qu'apparaît en 1982 le Club des talons hauts, des échassiers qui jonglent et crachent le feu et rêvent d'un cirque magique. Leur succès est immédiat.

Deux ans plus tard, à Gaspé, lors des cérémonies qui évoquent la découverte de la Nouvelle-France, le Cirque du Soleil va naître. Des milliers de personnes découvrent cette nouvelle troupe et assistent étonnés et ravis à un nouvel art du cirque.

L'un de ses premiers spectacles, *Le Cirque réinventé*, est présenté à Los Angeles en 1987. Guy Laliberté, le fondateur, et Daniel Gauthier, le président du Cirque du Soleil, pensent que «les Québécois, par leur histoire et leur situation géographique, ont cultivé l'aptitude d'absorber le meilleur de l'Amérique et de l'Europe, d'associer la sensibilité latine à "l'entrepreneurship" anglo-saxon. Familier de ces univers si différents, le Québec devient en quelque sorte une importante plateforme entre les deux continents. Avec la mondialisation, la planète devient de plus en plus petite. Depuis près de vingt ans, la culture change à grande vitesse. Tout devient accessible. En conséquence,

poursuit Daniel Gauthier, le Cirque met au point de nouveaux produits multimédias et intensifie ses activités dans les produits dérivés. Mais nous demeurons toujours fidèles à notre raison d'être : la création ».

Le rythme des spectacles, de *Saltimbanco* à *Alegria,* est rapide, endiablé, magique. Le Cirque présente dans la ville de Québec pendant la saison estivale un spectacle de rue, *Les Chemins Invisibles* : trois troupes, « Les Sables », « Les Brumes » et « Les Brasiers », déambulent dans trois rues du centre-ville et se retrouvent dans un espace situé sous des bretelles d'autoroute. Le spectacle est ainsi bien protégé des intempéries.

« Le plus important, c'est d'être prêt à se remettre en question, à ne rien tenir pour acquis : c'est la seule façon de se renouveler. Il faut faire les choses de façon professionnelle, mais il importe aussi d'avoir du plaisir, d'être passionné. Sinon, à quoi sert de travailler, de faire des affaires ? »

Guy Laliberté
Fondateur du Cirque du Soleil

COURAILLEUX {coureur de jupons}

Arlette COUSTURE

Les Filles de Caleb, le grand succès d'Arlette Cousture, est un livre attachant qui évoque, au rythme des saisons, la vie d'antan. Avec ce roman, l'écrivaine est allée à la recherche de journées et d'années disparues de la fin du XIXe et du début du XXe siècle au Québec. En carriole ou en calèche, Arlette Cousture nous conduit au tournant du siècle chez Caleb Bordeleau qui parle de ses terres dans le paysage vallonné de la Mauricie.

Le Chant du coq, premier tome des *Filles de Caleb*, paraît en 1985, suivi l'année d'après du *Cri de l'oie blanche*. Adaptée à la télévision par Jean Beaudin, la série connaît un grand succès tant au Québec qu'en France.

Blanche, le troisième tome *des Filles de Caleb*, met en scène l'infirmière Blanche qui arrache des dents et met des enfants au monde dans le lointain Abitibi. Blanche n'est autre que la mère d'Arlette Cousture.

Romancière, journaliste et écrivaine, Arlette Cousture est née en 1948. Après une formation de comédienne, elle va être professeur, animatrice de télévision dans les années 70, puis l'artiste travaille dans le milieu du cinéma tout en écrivant des pièces de théâtre et des nouvelles.

Pour Jean-Ethier Blais, « *Les Filles de Caleb* ont réussi à s'imposer non seulement par leurs qualités littéraires – qu'il juge indéniables –, mais aussi au Québec, parce que l'auteure y a réhabilité l'histoire de nos ancêtres. Rappelons, dit-il, qu'avec son roman, Arlette Cousture est allée à la recherche de ses propres racines ». Émilie, qui a laissé son Ovila de mari pour élever seule leurs dix enfants, c'est sa grand-mère maternelle. Cependant Arlette Cousture insiste pour dire que « la ressemblance s'arrête là, et qu'il s'agit bel et bien d'un roman ».

« Je ne m'habitue pas à être reconnue, confie Arlette Cousture, l'écriture, c'est une traversée en solitaire. Maintenant, c'est devenu une vraie régate. »

Émilie et son destin

« Ovila Pronovost, tu vas attendre.
Tu arrives comme un cheveu sur la soupe,
tu me prends mouillée comme un canard,
tu dis qu'on se marie l'année prochaine pis
qu'on va rester dans la maison à ton père.
Pis moi, là-dedans ? Est-ce que ça
se pourrait que j'aie mon mot à dire ?

Choque-toi pas, Émilie, j'ai pensé rien
qu'à ça depuis que je suis parti. J'vas
attendre. J'vas faire comme tu veux.

Émilie s'était tue. Elle attendait ce jour
d'aussi loin qu'elle pouvait se souvenir.
Et voilà que la peur venait de commencer
à lui ronger un coin de cœur. Elle regarda
Ovila, le trouva plus beau que jamais,
remercia le ciel de ne plus être fiancée
à Henri, aurait voulu croire tout ce qu'il
venait de lui dire, mais quelque chose lui
faisait peur. Et s'il décidait de repartir ?
Et s'il oubliait ses belles promesses ? Non !
Le regard qu'il lui jetait en ce moment était
imprégné de tellement de confiance, de
tellement d'incertitude et de naïveté qu'elle
eut envie de lui crier qu'elle acceptait.
Mais il l'avait blessée. Il lui avait fait passer
des heures d'attente dans le doute et
l'angoisse. Il n'avait jamais douté d'elle.
Elle ne pouvait pas en dire autant… »

Arlette Cousture, *Les Filles de Caleb,
Le Chant du coq, 1892-1918,*
© Éditions Albin Michel, 1986.

DÉBARBOUILLETTE {petite pièce de tissu qui sert de gant de toilette}

Reconnue aujourd'hui comme une des chanteuses populaires les plus importantes de la planète, Céline Dion a pulvérisé les records de vente dans les pays francophones et anglophones. L'artiste a reçu un prestigieux oscar pour la chanson *My heart will go on* du film *Titanic* qui a bouleversé le monde entier.

Née en 1968 dans une banlieue de Montréal, Céline Dion est la benjamine d'une famille de quatorze enfants. Sa mère est violoniste et son père accordéoniste. Son enfance est bercée par la musique, toute sa famille jouant d'un instrument.

Alors que Céline Dion n'a que douze ans, sa mère envoie une cassette à René Angélil, imprésario connu au Québec. Peu après, Céline interprète devant lui *Ce n'était qu'un rêve*, un chanson écrite par sa mère. René Angélil croit en sa voix et finance la carrière de la jeune chanteuse. En novembre 1981, les deux premiers albums de Céline Dion sortent : *La Voix du bon Dieu* écrit par Eddy Marnay, et *Céline chante Noël*.

Beauté, voix prodigieuse, charisme confèrent à cette star une indéniable aura. Sans oublier sa détermination, sa persévérance et son travail acharné de tous les instants pour donner le meilleur d'elle-même.

Grande professionnelle, Céline Dion a pris place au musée Grévin aux côtés de Michel Drucker.

Il faut noter que le spectacle de Céline Dion, créé pour le 400ᵉ anniversaire de la ville de Québec, le 22 août 2008, a connu un très grand succès auprès des téléspectateurs et du public venu l'applaudir sur les plaines d'Abraham.

Pour que tu m'aimes encore

« J'ai compris tous les mots,
    [j'ai bien compris, merci
Raisonnable et nouveau,
    [c'est ainsi par ici
Que les choses ont changé,
    [que les fleurs ont fané
Que le temps d'avant,
    [c'était le temps d'avant
Que si tout zappe et lasse,
    [les amours aussi passent

Il faut que tu saches
J'irai chercher ton cœur
    [si tu l'emportes ailleurs
Même si dans tes danses
    [d'autres dansent des heures
J'irai chercher ton âme
    [dans les froids dans les flammes
Je te jetterai des sorts
    [pour que tu m'aimes encore

Fallait pas commencer
    [m'attirer me toucher
Fallait pas tant donner
    [moi je sais pas jouer
On me dit qu'aujourd'hui,
    [on me dit que les autres font ainsi
Je ne suis pas les autres
Avant que l'on s'attache,
    [avant que l'on se gâche. »

Céline Dion, *Pour que tu m'aimes encore*,
de Jean-Jacques Goldman

LE QUÉBEC
ET LA **D**IVERSITÉ CULTURELLE

La Francophonie a pris son essor en tant que concept politique et culturel grâce notamment à l'affirmation de l'identité culturelle francophone du Québec dans les années 60 et à l'adoption de la loi 101 en 1977. Une loi en faveur de la langue française fut en effet nécessaire, car, « entre le fort et le faible [...] c'est la liberté qui opprime et la loi qui affranchit », disait Lacordaire. Depuis la défaite française de 1760, le français s'était réfugié dans les églises et la vie privée des citoyens francophones, l'anglais dominait, lui, dans la vie économique, sociale et politique.

L'originalité du Québec réside dans l'alliance entre l'affirmation culturelle collective d'une nation, grâce notamment à l'emploi obligatoire du français dans la vie publique, et à l'affirmation des libertés individuelles du citoyen de langue anglaise qui a droit à ses écoles, et même à son enseignement supérieur. L'Université anglophone McGill de Montréal faisant le pendant à l'Université francophone Laval de Québec. L'originalité du Québec quant à la diversité culturelle réside aussi dans le compromis entre quatre identités constitutives du peuple québécois d'aujourd'hui : l'élément francophone, l'élément anglophone, l'élément amérindien, et l'apport substantiel de l'immigration. L'élément francophone lui-même est original à plus d'un titre. Au dialecte populaire du joual et au modèle français, s'ajoute l'élément le plus fort : la vitalité autochtone de la langue française non seulement grâce à l'accent mais aussi grâce à la créativité linguistique très moderne alliant truculence et modernité technique dans des néologismes flamboyants comme l'illustre le *Grand Dictionnaire terminologique* du Québec ou *GDT* et ses centaines de milliers de termes !

La plupart des Québécois sont bilingues, et beaucoup sont trilingues. La bataille pour la diversité culturelle a eu lieu au sein même du Québec, comme dans l'action internationale du Québec. La bataille intérieure s'est déroulée d'une manière volontariste – tant par l'action gouvernementale que par la dynamique sociale – mais aussi moderne, concrète, efficace.

Très vite le Québec s'est doté d'un organisme favorisant le développement des industries culturelles, une Société de développement des entreprises culturelles (SODEC), mais également d'une politique de soutien à la création et à la promotion, notamment en faveur des écrivains et de l'édition et aussi des chanteurs, très populaires désormais chez eux comme chez nous. Le soutien public s'est manifesté très tôt envers le théâtre sous toutes ses formes : théâtre féminin, théâtre d'humour, etc.
Souvent d'ailleurs les auteurs sont des enfants de l'immigration, et en particulier arabes, comme Abla Farhoud ou Wajdi Mouawad. Très vite le Québec, comme le Canada fédéral, d'ailleurs, submergé par le

flot des programmes ou des produits en provenance des États-Unis, a inauguré des quotas de diffusion pour les chansons sur les ondes ; politique que la France a repris à son compte plusieurs années après et dont l'application reste encore imparfaite.

Le pluralisme interne du Québec s'illustre aussi par les droits des femmes, des immigrés et des homosexuels ; par le pluralisme religieux et philosophique très audacieux dans un pays où l'Église catholique jusque dans les années 50 dominait totalement la société.

Si les immigrés sont obligés d'adopter le français dans l'éducation comme dans le travail et la vie publique, ils ont été l'objet en revanche d'une grande sollicitude. Les communautés culturelles ont fait l'objet d'attention vigilante, de soutien et de protection, même si le compromis québécois marque une originalité par rapport à la politique du « multiculturalisme » du pouvoir fédéral canadien, puisqu'il s'agit ici de protéger l'identité collective francophone.

Au niveau international, le Québec a joué un rôle décisif dans le développement de la Francophonie, sous ses trois significations : diffusion de la langue française, constitution d'une communauté internationale volontariste et développement d'une philosophie de symbiose culturelle créative et de solidarité entre les peuples, comme l'exprimait le président Léopold Sédar Senghor dans sa célèbre conférence à l'Université Laval en 1966.

Le Québec a eu en effet un rôle majeur dans la création en 1961 de l'Association des universités partiellement ou entièrement de langue française (AUPELF), aujourd'hui appelée AUF (Agence universitaire de la Francophonie), dont le siège international est à Montréal. Le Québec a joué aussi un rôle essentiel dans la création, en 1970 à Niamey, de l'Agence de coopération culturelle et technique (ACCT), désormais fondue dans l'OIF (Organisation internationale de la Francophonie) dont l'actuel secrétaire général est le Sénégalais Abdou Diouf, et l'administrateur, le Québécois Clément Duhaime. Parmi les personnalités québécoises qui ont joué un grand rôle dans la construction d'une Francophonie internationale, il faut citer Jean-Marc Léger dans les années 60 et Jean-Louis Roy dans les années 80.

La bataille québécoise pour la Francophonie est une bataille pour la Francopolyphonie ; beaucoup de littérateurs, de chanteurs, de cinéastes africains et arabes francophones doivent leur réussite au Québec, où les Francofêtes et les Francofolies ont fait florès. Et aujourd'hui les Québécois jouent un rôle très actif aux côtés des autres pays francophones en faveur de la diversité culturelle dans le monde ; cela s'est illustré par l'adoption d'une Convention internationale à l'Unesco le 20 octobre 2005. Si nous parvenons à repousser le désert de l'uniformité et la jungle des ghettos identitaires en faisant éclore un jardin d'humanité, nous le devrons beaucoup aux citoyens de la Belle Province.

Stélio Farandjis
Inspecteur général honoraire de l'Éducation nationale
Ancien secrétaire du Haut Conseil de la Francophonie

DOUANCE {qualité d'une personne douée}

Réjean Ducharme est l'un des plus grands romanciers du Québec. Véritable mythe populaire, l'écrivain vit dans le plus grand secret. Il n'apparaît jamais en public et refuse de se faire photographier. Ses romans reflètent les idées et les interrogations des intellectuels québécois qui souhaitaient faire évoluer les mentalités et moderniser les institutions dans les années 60.

L'Avalée des avalés, qu'il publie en 1966, remporte un grand succès : une jeune fille étrange et précoce, Bérénice Einberg, conte son enfance et son adolescence. Tout m'avale, dit-elle, « le fleuve trop grand, le ciel trop haut, les fleurs trop fragiles, les papillons trop craintifs, le visage trop beau de ma mère ». On ne naît vraiment que quand on prend conscience d'être. La véritable naissance, c'est l'accès à la lucidité, nous dit Réjean Ducharme. Par la voix de Bérénice, c'est la voix de la détresse humaine que le lecteur entend.

Né en 1941 à Saint-Félix-de-Valois dans la province de Québec, Réjean Ducharme est romancier, dramaturge et scénariste. Après ses études, il s'engage dans l'aviation canadienne et part pour le Grand Nord. Il prend la plume très jeune, tout en occupant des emplois aussi divers que poinçonneur dans une mine au Yukon ou correcteur d'épreuves dans une imprimerie.

Très personnelle, originale et créative, l'écriture de Réjean Ducharme est d'une grande richesse. Son œuvre aux titres insolites, *Le Nez qui voque, L'Océantume, Ines Pérée et Inat Tendu, Les Enfantômes* et *L'Hiver de force,* a été récompensée par de nombreux prix.

L'artiste a également écrit des chansons pour Pauline Julien et Robert Charlebois, quelques pièces de théâtre ainsi que les scénarios de deux films de Francis Mankiewicz, *Les Bons Débarras* et *Les Beaux Souvenirs.*

Cui-qui-kui comme les oiseaux

« Nicole a dit :
– Faisons qu'y ait plus rien ; quand y aura plus rien on pourra plus dire du mal de rien. Comme quand on était aux Beaux-Arts puis qu'on lisait Sartre puis qu'on comprenait tout à l'envers ce que voulait dire *réaliser l'existentiel*...
– (On croyait qu'il fallait fermer les yeux et regarder les mots tourner dans notre tête jusqu'à ce qu'ils ne veulent plus rien dire.) T'en souviens-tu ? [...]

Moi je veux qu'on se couche puis qu'on reste couchés jusqu'à ce qu'on comprenne plus rien. Les gens vont parler puis ça va être du bruit, c'est tout... On va répondre cui-qui-kui comme les oiseaux ; ils vont penser qu'on fait des farces mais ça va être pour vrai...

Euh...
Moi je suis sûre que si on reste couchés assez longtemps on va finir par ne plus comprendre ce que le propriétaire veut dire par *payez le loyer*. Si tu comprends pas le mot payer, tu peux pas payer... tu comprends ? Pourquoi les moineaux paient pas ? Parce que personne est capable de leur faire comprendre le mot payer... tu comprends ? »

Réjean Ducharme, *L'Hiver de force,*
© Éditions Gallimard, 1973.

Diane Dufresne est une chanteuse exceptionnelle. Ses performances scéniques ont révolutionné le spectacle au Québec, repoussant toujours plus loin les limites, pulvérisant l'étroitesse des carcans, avec ses costumes flamboyants de diva excentrique.

Auteure et interprète, Diane Dufresne est née à Montréal en 1944. Après une formation à Paris, elle chante Gilles Vigneault et Jean-Pierre Ferland. Sa carrière démarre vraiment en 1972, avec la sortie de l'album *Tiens-toé ben, j'arrive*, puis c'est la consécration tant au Québec que dans les pays francophones. Luc Plamondon écrit les paroles de ses premières chansons.

De sa voix de soprano très personnelle, la chanteuse est une interprète douée d'humour, d'autodérision, d'une certaine dose de provocation et d'un romantisme rock'n'roll très réjouissant.

En 1973, Diane Dufresne rencontre un triomphe en interprétant *J'ai rencontré l'homme de ma vie* de Luc Plamondon. À Québec, elle donne des spectacles à thème : *Comme un film de Fellini,* où le public vient déguisé. Elle participe à la comédie musicale *Starmania* qui va connaître un immense succès.

Dans les années 1984-1985, elle met fin à sa collaboration avec Luc Plamondon et se tourne vers des artistes comme Michel Jonasz, Serge Gainsbourg et Jacques Higelin. Elle donne moins de concerts, ses chansons sont moins rock. Elle y reviendra avec sa tournée mondiale *En liberté conditionnelle* dans les années 2003. L'artiste, toujours présente sur scène, devient plus discrète auprès des médias.

Diane Dufresne est une artiste sans compromis qui clame haut et fort l'importance fondamentale de l'acte de création dans son existence même. « Je chante pour gagner ma vie, mais je crée pour vivre », dit-elle.

J'ai rencontré l'homme de ma vie

« Aujourd'hui j'ai rencontré l'homme
  [de ma vie
Oh-oh-oh-oh aujourd'hui, au grand soleil,
  [en plein midi
On attendait le même feu vert
Lui à pied et moi dans ma Corvair
J'ai dit: "Veux-tu un *lift* ?"

Aujourd'hui j'ai rencontré l'homme
  [de ma vie
Oh-oh-oh-oh aujourd'hui je l'ai conduit
  [jusqu'à chez lui
J'suis montée à son appartement
Entre la terre et le firmament
Il m'a offert un drink

– Qu'est-ce que tu fais dans la vie ?
– J'fais mon possible
– Prends-tu d'l'eau dans ton whisky ?
– Non, j'le prends straight […]

Mon horoscope me l'avait prédit
Quand je l'ai vu j'ai su qu'c'était lui
J'ai deviné son signe

Aujourd'hui j'ai rencontré l'homme
  [de ma vie
Oh-oh-oh-oh aujourd'hui, au grand soleil,
en plein midi. »

Diane Dufresne, *Tiens-toé ben, j'arrive*,
auteur : Luc Plamondon – compositeur : François Cousineau,
© Éditions PEACE OF MIND / Luc Plamondon.

L'ENGAGEMENT DU QUÉBEC EN FRANCOPHONIE

Le Québec était là, aux toutes premières heures de la Francophonie, parce que son destin l'y avait conduit ; parce qu'il pressentait, déjà, que son avenir dépendait de cette solidarité naissante que des peuples de tous horizons, mais parlant une langue commune dans un siècle en voie de mondialisation, avaient le désir de forger. Poussé aussi par le désir de s'ouvrir au monde et de prendre sa place sur la scène politique internationale, le Québec s'est naturellement tourné vers l'espace francophone.

Répondant à l'appel commun de Hamani Diori du Niger, Habib Bourguiba de Tunisie et Léopold Sédar Senghor du Sénégal, le Québec était présent à la première conférence de Niamey en 1969, comme il fut également présent, en 1986, au premier Sommet de la Francophonie à Paris, à l'invitation du président François Mitterrand. Par ailleurs, deux Québécois ont assumé les fonctions de secrétaire général de l'Agence de coopération culturelle et technique (ACTT) : M. Jean-Marc Léger, de 1970 à 1973, et M. Jean-Louis Roy, de 1990 à 1997. Depuis janvier 2006, le Québécois Clément Duhaime assume les tâches d'administrateur de l'OIF, dont la Charte constitutive a été réformée à Antananarivo en novembre 2005.

La Francophonie, près de quarante ans plus tard, existe donc bel et bien et reste un engagement de chaque instant. Née d'un idéal, voire d'un rêve, elle est aujourd'hui une réalité concrètement vécue qui a valeur de symbole. Qui en douterait encore après le IXe Sommet de Beyrouth, alors que 56 chefs d'État et de gouvernement ont consacré, à la face du monde, le caractère politique de cette organisation intergouvernementale, en même temps qu'une nouvelle aspiration à un humanisme universel, pluriel et engagé ?

Les défis de la Francophonie sont nombreux et conditionnent la conception que le Québec se fait de sa présence sur la scène politique internationale. Trois objectifs principaux guident son action en Francophonie : la promotion du français, l'affirmation des principes de la paix et de la démocratie et, enfin, la maîtrise de la modernité.

La langue française

Avec la culture, la langue est au cœur des relations entre les peuples. Espace vital, la langue française fut l'élan fondateur de la Francophonie, l'élément majeur de sa cohésion et de son identité. Elle est au premier chef ce que nous avons en partage, par-delà la diversité des formes vernaculaires d'expression. La Francophonie doit veiller au rayonnement planétaire du français, langue à portée universelle.

On peut estimer aujourd'hui que de 250 à 300 millions de personnes sont en contact avec la langue française. À défaut de triompher comme jadis, le français rayonne de par le monde, où il coexiste parmi plus de

6 500 langues qui aspirent à exister, parfois à survivre. Dans ce contexte, ni le français ni la Francophonie ne peuvent s'imposer seuls. Les francophones d'Amérique le savent bien, eux qui luttent opiniâtrement pour la préservation de leur langue, qui s'épanouit dans un environnement contraignant.

Aussi, avons-nous la conviction que la Francophonie doit tisser des alliances avec les autres grandes communautés linguistiques dont les cultures courent les mêmes risques d'uniformisation.

Le fait français, en Amérique, est le fruit d'une quête très ancienne, commencée il y a 400 ans. Quant au Québec contemporain, il est le résultat d'un incessant tiraillement : entre la continuité, tout d'abord, héritée de la tradition française et européenne, et la rupture ensuite, conséquence de l'enracinement nord-américain et de l'amitié avec les États-Unis. C'est là une façon de rappeler que la diversité culturelle, dont la Francophonie s'est faite le porte-parole enthousiaste et vigilant, a pris racine au Québec bien avant que ce concept devienne une idée à la mode.

S'agissant du combat pour le français, il nous apparaît inséparable de celui que doit mener la Francophonie en faveur des langues partenaires du Sud. Le respect du pluralisme linguistique est non seulement un enjeu de la Francophonie, mais c'est l'une de ses responsabilités premières. Qu'on y songe : avec plus de 2 000 langues parlées par 725 millions d'habitants, l'Afrique regroupe 30 % des langues vivantes dans le monde.

La modernité

Le Québec, par son apport à la Francophonie, se réjouit de pouvoir contribuer à la modernité de l'espace francophone, notamment à travers son soutien à l'Agence universitaire de la Francophonie (AUF), grâce à son Institut de la Francophonie numérique, son Fonds francophone des inforoutes et son Institut de l'énergie et de l'environnement de la Francophonie (IEPF), dont le siège est situé à Québec depuis sa création en 1987. La question de l'environnement, parce qu'elle est devenue un enjeu mondial, a d'ailleurs été au cœur des débats du dernier Sommet francophone d'octobre 2008. C'est l'un des objectifs prioritaires du Premier ministre Jean Charest, et plus particulièrement la question des changements climatiques.

La Francophonie défend une conception de la société de l'information qui repose sur des fondements démocratiques et s'appuie sur une réelle participation des citoyens. Il importe qu'elle contribue à la réduction de la fracture numérique et à promouvoir l'accès universel aux technologies de l'information pour les populations de la Francophonie. À travers la Francophonie, le Québec reconnaît le droit de tous à participer, sans exclusion ni discrimination aucune, à l'édification d'une société de l'information riche de sa diversité. Tel est l'enjeu. Nous sommes convaincus que la société de l'information doit favoriser le rapprochement entre l'État et les citoyens, contribuer à la modernisation de l'administration et accentuer la transparence. Voilà pourquoi le Québec a participé activement à la préparation du Sommet mondial sur la société de l'information qui a eu lieu à Genève en décembre 2003, qu'il a joué un rôle actif à la Conférence ministérielle de la Francophonie sur la société de l'information, à Rabat, en septembre 2003, qu'il a délégué une équipe de spécialistes et d'observateurs au Sommet mondial sur la société de l'information tenu à Tunis en novembre 2005 et, enfin, qu'il a participé au Symposium de Tunis sur les TIC au service de l'Éducation en juin 2008.

La Francophonie doit aussi adapter ses pratiques et ses modes d'organisation aux réalités nouvelles. La démocratie et la bonne gouvernance sont des conditions imprescriptibles pour assurer une saine gestion des affaires publiques, tout en contribuant à renforcer le rôle des collectivités locales et des populations à la vie publique. La modernité doit aussi emprunter ce chemin-là et la Francophonie, résolument, y tend à son tour.

La paix et la démocratie

La Francophonie ne saurait être actrice du progrès dans le monde sans participer activement au combat pour la démocratie, qui est aussi un combat pour l'égalité entre les pays riches et les pays pauvres ainsi qu'une lutte contre les fractures sociales engendrées par le sous-développement. Dans un monde réellement libre, l'universalité de la personne commande l'universalité des droits.

Au Sommet de Hanoï, en 1997, le Québec soutenait que la Francophonie devait se préoccuper du respect, en son sein, des droits de la personne. Puis, au Sommet de Moncton, en 1999, le Québec a œuvré afin qu'une conférence spécifique traite de démocratie. C'est ce qui a mené à la Déclaration de Bamako, en 2000. Francophonie et démocratie sont désormais indissociables. Les membres de la Francophonie, à la suite de l'adoption de la Déclaration de Bamako, devraient être en mesure de démontrer qu'ils respectent les pratiques démocratiques et les droits de la personne sur leur territoire. Il est juste, à cet égard, de souligner l'excellence du travail effectué par l'Association des parlementaires de la Francophonie (APF) qui a agi comme un précurseur en cette matière. Son expérience doit nous servir de référence.

Depuis près de vingt ans, le Québec s'est fait un devoir et un point d'honneur de mettre l'expérience et l'expertise qu'il a développées dans le domaine des institutions et systèmes démocratiques au service des pays en voie de démocratisation ou de consolidation démocratique. Le Québec a soutenu, et soutient toujours, activement, la contribution des institutions gouvernementales québécoises au développement des réseaux francophones. Par ailleurs, on peut mentionner le rôle de premier plan de la Sûreté du Québec dans la création, en septembre 2008, d'un réseau international francophone de formation policière, FRANCOPOL.

Le Sommet de Québec d'octobre 2008 a marqué la continuation d'une certaine conception des choses, héritée de plus de trois décennies d'action, d'imagination et d'enthousiasme. Le Québec souhaite que ce XIIe Sommet soit également celui du renouveau, qu'il soit le signal d'un nouvel élan. La Francophonie de demain s'ébauchera à Québec, à l'endroit même où la Francophonie des Amériques, dès 1608, a émergé, là où, après avoir prospéré malgré tant d'embûches, elle continue de donner l'exemple d'une société francophone vivante et sûre d'elle-même, mais sans arrogance, et qui parle au monde dans le français qu'elle a réinventé, lien invisible entre tous les membres de la Francophonie.

Wilfrid-Guy Licari
Délégué général du Québec à Paris
Représentant personnel du Premier ministre pour la Francophonie

FOURNAISE {appareil de chauffage central, chaudière}

Curieux de tout, Claude Fournier promène sur le Québec et sur le monde un regard amusé et plein d'humour. Président de l'Institut québécois du cinéma (IQC) pendant trois ans, il va défendre avec force la place du français sur les écrans du Québec. Notamment dans l'excellent film de Sylvie Groulx *À l'ombre d'Hollywood*.

Scénariste, cinéaste, romancier, journaliste et poète, Claude Fournier est né à Waterloo au Québec en 1931. Après des études classiques, il est journaliste à Radio-Canada. À cette époque il publie deux recueils de poèmes, *Les Armes à faim* et *Le Ciel fermé*. Puis il entre à l'Office national du film (ONF) où il tourne des films à succès qui lui valent plusieurs prix : *Télesphore Légaré, garde-pêche* et *La Lutte*, un des films les plus importants du cinéma direct avec Michel Brault, Marcel Carrière et Claude Jutra, sur le monde du catch. Trois ans plus tard, Claude Fournier rejoint à New York l'équipe du *direct* Robert Drew, Richard Leacock et D.A. Pennebaker.

De retour au Québec, le cinéaste tourne deux films marquants, *Le Dossier Nelligan* et surtout *Deux Femmes en or* en 1970. Avec l'humour malicieux qui le caractérise, Claude Fournier nous conte l'histoire de deux voisines qui, se sentant délaissées par leur mari, s'offrent des aventures avec les livreurs ou autres travailleurs à domicile. Succès et scandale sans précédent. Le film est vu au Québec par deux millions de spectateurs.

Travailleur infatigable, cinéaste à succès, Claude Fournier tourne une œuvre importante : *Les Chats bottés*, *La Pomme, la Queue... et les Pépins*, *Je suis loin de toi mignonne*, *Bonheur d'occasion*, adapté du roman de Gabrielle Roy *J'en suis*. Puis il adapte pour la télévision le best-seller d'Yves Beauchemin, *Juliette Pomerleau*, ainsi qu'une vie de *Félix Leclerc*.

Écrivain, son roman *Les Tisserands du pouvoir* est publié en 1988. Dans cet ouvrage que Claude Fournier va adapter au cinéma, il traite avec talent des conditions inhumaines de travail de centaines de milliers de Canadiens français partis, au début du siècle dernier, travailler dans des filatures de la Nouvelle-Angleterre. Quelques années plus tard, son récit biographique sur *René Lévesque* nous entraîne dans les coulisses du pouvoir.

Un Homme seul

« – Vous savez, je trouve chez vous toutes les contradictions qui nous imposent de nous libérer, mais qui en même temps nous en empêchent.
Lévesque sourit intérieurement. Il savait pourtant qu'avec le Dr Laurin, ce serait plus compliqué que de dire : "Je m'en vais, prenez ma place, voulez-vous."
– Monsieur Lévesque, vous êtes l'incarnation parfaite du dilemme des Québécois. Vous oscillez toujours entre l'impatience et la confiance... Un jour, vous doutez de tout, y compris de vous ; puis le lendemain, c'est l'idéal insatiable, l'appel au dépassement... N'essayez pas de vous dérober... Je crois fermement que le destin vous a mis là pour mener le Québec à sa liberté. Il n'aurait pas pu mieux choisir. Vous ne pouvez pas partir, votre conscience ne vous le pardonnerait jamais.
– Vous savez, Docteur, je souhaitais connaître votre réaction, mais je ne vous en demandais pas tant !
– C'est pourquoi, dit Laurin, je ne vous ai entretenu que de l'essentiel ! »

Claude Fournier, *René Lévesque, Portrait d'un homme seul*,
© 1993, Les Éditions de l'Homme, division du Groupe Sogides inc., filiale du Groupe Livre Quebecor Media inc., Montréal, Québec.

Un hyperactif sous sédation

La vérité vraie, le cinéma québécois de long-métrage est venu au monde par accident, au début des années 60. Louis et Jean Lumière, les inventeurs du cinéma, deux frisés moustachus toujours élégants dans leur redingote, avaient rendu l'âme depuis au moins une décennie, Mack Sennett venait de mourir, le beau Glenn Ford avait commencé à grisonner, il avait déjà quarante-six ans, et Mary Pickford – je l'écris discrètement – venait de célébrer son soixante-dixième anniversaire, elle avait depuis longtemps rangé ses pots de maquillage.

Attention ! Ce n'est pas pour faire « pipole » que je mentionne ces noms du gotha de Hollywood, car si le cinéma québécois n'était pas l'enfant retardé qu'il est, l'inventeur des Keystone Cops, Sennett, celui qui a découvert Chaplin, Gloria Swanson, Bing Crosby et W.C. Fields, né à Richmond, Québec, à cinquante kilomètres de chez moi ; Glenn Ford qui vient de Sainte-Christine, Québec, ce village de 740 habitants à deux pas d'ici, et Pickford, née à Toronto, à une époque où le Québec faisait encore psychologiquement partie du Canada, eh bien ! ces gens auraient à coup sûr été des vedettes de notre cinéma. Qui n'était pas né.

Dans ces années 60, Denys Arcand, Denis Héroux et Stéphane Venne, trois étudiants de l'Université de Montréal, ont voulu en s'associant à quelques beautés de leur faculté, dont Marie-José Raymond, enfanter un long-métrage, mais, trop jeunes et inexpérimentés, ils ont dû demander conseil à des plus vieux, Michel Brault et Gilles Groulx, des cinéastes de l'Office national du film, une institution où le cinéma n'était ni de la rigolade ni de la fiction, on y avait pour mission, œuvre pie, de vanter les mérites du Canada aux Canadiens et aux étrangers. Par ailleurs, les techniques de l'enfantement cinématographique, ça on connaissait. Ainsi est né *Seul ou avec d'autres,* le premier rejeton d'une famille qui ne cesse de grandir depuis, animée par une sève généreuse : alliage de notre énergie créatrice et des investissements (notre propre argent, évidemment) des gouvernements.

Oh ! il y avait bien eu dans les années 50 quelques tentatives pour créer une industrie du long-métrage, mais comme personne n'avait l'expérience requise, ce sont des réalisateurs français ou même russes qu'on fit venir, des noms oubliés aujourd'hui, car inutile d'insister, ce ne sont ni les Carné, Renoir ou Poudovkine que l'on attira ici. Il reste quelques-unes de ces œuvres : *La Forteresse, Le Rossignol et les cloches, Le Père Chopin,* de même que certains joyaux de folklore québécois, réalisés aussi par des étrangers, *Un homme et son péché, Le Gros Bill.* Une exception, *Aurore l'enfant martyre,* mis en scène par un réalisateur d'ici, Jean-Yves Bigras, et du coup un énorme succès de box-office qui ne se répétera pas avant des années, le temps pour Denis Héroux – comme il se plaisait à dire – « de déshabiller » la petite Québécoise Danielle Ouimet et de faire un malheur avec *Valérie.*

Or nous qui, depuis plusieurs années à l'Office national du film, faisions du cinéma utile et utilitaire, documentaire et documenté, nous qui avions trouvé le moyen en cours de route d'inventer le cinéma-vérité, cette histoire de cinéma de fiction, cette sorte de gageure d'étudiants, nous a fouettés. Brusquement sont sortis de l'ombre les Jutra, Brault, Groulx, Carle, Lefebvre, Fournier et compagnie pour se joindre aux petits malins qui venaient de quitter leur Faculté d'histoire et donner des muscles et de la stature à cet enfant qu'ils avaient fait naître, presque par accident, en jouant au cinéma.

Des films magnifiques comme *Mon oncle Antoine* ou *Les Bons Débarras,* curieux et originaux comme *Les Mâles, Bar salon* ou *La Maudite Galette,* d'autres aux caractéristiques d'art et d'essai – c'est-à-dire présentant d'incontestables qualités sans obtenir l'audience qu'ils auraient méritée – comme *Les Ordres* ou *Les Dernières Fiançailles,* et le plus important succès commercial de l'époque, la comédie *Deux Femmes en or,* ont fait leur apparition sur les écrans, bousculant même à l'occasion le cinéma étranger.

Subitement, le cinéma québécois, cet enfant retardé, s'agite dans tous les genres : comédie, drame, histoire, adaptation de romans, nombrilisme, et s'ébroue avec l'allure dégingandée d'un enfant qui a grandi trop vite. L'État comprend enfin qu'il faut investir, que le cinéma québécois n'est pas différent du cinéma de tous les autres pays occidentaux sauf celui des États-Unis, qu'il a besoin de cet argent vitaminique. D'autant que les nouveaux réalisateurs se bousculent au portillon : les Beaudin, Lord, Mélançon, Forcier,

Mankiewicz, Lanctôt, Brassard, et tous ces autres talents qui éclosent derrière et se présentent à leur tour, et d'autres forces fraîches encore qui se lèvent et réclament leur poste derrière la caméra, des jeunes, entourés de techniciens maintenant chevronnés, qui dirigent des acteurs qui arriveraient presque à vivre du métier du cinéma.

Bref, le retardé s'est métamorphosé en hyperactif de plus en plus exigeant et agité, il va falloir le mettre au ritalin. Devant les cris et les demandes d'aide, l'État n'aura qu'à faire le sourd et laisser à ses valeureux fonctionnaires de réguler (assez arbitrairement) des flux monétaires à peine augmentés et voilà ! l'effet psycholeptique est sûr et immédiat.

Et le public québécois ? Il commençait de se reconnaître dans son cinéma, il y avait mis beaucoup de temps, lui qui s'alimentait depuis toujours à l'imaginaire du cinéma américain, est-ce le moment de lui compter ces films qui lui ressemblent, mais qui ne lui sont pas encore, hélas ! tout à fait indispensables ?

Ou est-ce l'inévitable destin d'un pays trop petit pour accommoder le dynamisme de ses créateurs ? Il n'est pas impossible qu'un autre Sennett naisse à Richmond ou un Glenn Ford à Sainte-Christine et que notre cinéma n'ait pas la force de les retenir. C'est ça, la vérité vraie du Québec.

Claude Fournier
Cinéaste

FRISER {gicler}

LE POSITIONNEMENT DU QUÉBEC DANS LE DIVERTISSEMENT DU FUTUR

Une réflexion sur le positionnement du Québec sur l'échiquier mondial du divertissement numérique nécessite à la fois un regard sur le passé et le présent ainsi qu'une projection vers demain.

Les Québécois ont toujours eu cette étincelle magique pour allier la créativité avec la technologie. Des productions telles que celles de Robert Lepage et du Cirque du Soleil le démontrent très bien. Mais il n'est pas d'hier que le Québec tente de repousser les limites de la création avec le multimédia. Je me rappellerai toujours Tony de Peltrie en 1985, ce pianiste animé par une équipe du Centre de calcul de l'Université de Montréal. Cette production allait montrer au monde le talent des Québécois en imagerie 3D. Plus tard, les dinosaures de *Jurassic Park* en 1993, tellement réalistes qu'ils ont fait trembler la planète entière. À ce moment précis, j'étais fier du talent québécois, puisque c'est la technologie de Softimage, avec Daniel Langlois, qui a permis la résurrection de ces géants disparus. Par ailleurs, Discreet Logic, une entreprise de Montréal, s'illustrait avec ses logiciels de traitement de vidéos et de films, sans oublier l'expertise développée en simulation de vol. Ainsi, Montréal et le Québec s'imposaient comme leaders dans le domaine de l'imagerie 3D avec son développement technologique. Déjà, je sentais que le Québec allait rayonner sur la planète au chapitre de l'art numérique, et ce qui en découla ne fit que confirmer mes intuitions.

Les débuts

Les premiers pas en jeu vidéo au Québec ont été faits par Megatoon, une entreprise de la Vieille Capitale qui allait concevoir et réaliser en 1997 le premier jeu vidéo québécois pour console : *Jersey Devil* sur Playstation. La créativité et la maîtrise de la technologie étant choses acquises, le Québec était prêt à passer au niveau supérieur. Bien conscient de ce talent, Ubisoft prit pignon sur rue dans le Mile End à Montréal en 1997, dans une ancienne manufacture de textile. À partir de ce moment, l'industrie allait prendre un sérieux envol dans la Belle Province, aidée des différents paliers du gouvernement qui ont cru en ce beau projet. Plusieurs emplois allaient être créés dans les mois et années suivants dans plusieurs secteurs liés aux jeux vidéo, que ce soit en programmation, en art, en animation, en design et en gestion de projet. Des cent premiers employés d'Ubisoft au Québec, il est intéressant de voir que la majorité travaille encore dans l'industrie et plusieurs sont encore à l'emploi de l'entreprise.

Avec toutes les structures en place, le monde entier attendait le premier succès mondial qui allait sortir du Québec. C'est en 2002 et 2003 qu'arrivèrent *Tom Clancy's Splinter Cell* et *Prince of Persia : Les Sables du temps*, tous deux créés chez Ubisoft Montréal. Le premier jeu, tiré de l'univers de l'auteur à succès Tom Clancy, a été un succès critique et commercial instantané. *Prince of Persia : Les Sables du temps* a réinventé la franchise du Prince, avec une nouvelle jouabilité et des animations à couper le souffle. Plusieurs critiques en parlent encore comme étant la référence en jeu d'action et d'aventure. Je me souviens encore de la fébrilité qui régnait lors de ma première journée chez Ubisoft en 1997 alors que nous n'étions que trente employés. Nous n'étions pas encore conscients à l'époque que dix ans plus tard, les créateurs du Québec allaient être reconnus mondialement pour leur savoir-faire.

Émergence d'un second pôle créatif

L'expansion ne pouvait se limiter qu'à Montréal. En juin 2005, Ubisoft s'installe à Québec, où les premiers pas furent réalisés. Québec possède un réseau universitaire bien établi, avec l'Université Laval et l'Université du Québec. La ville est aussi reconnue pour son fleurissement économique, pour son innovation dans plusieurs domaines technologiques dont les télécommunications, les technologies géospatiales et l'optique-photonique. Dans une industrie où le savoir représente la principale force et qualité recherchée, Ubisoft ne pouvait rêver d'une meilleure terre d'accueil. Depuis, l'industrie du jeu vidéo a connu une croissance de 300 % en main-d'œuvre, croissance qui a joué un rôle important dans le développement d'un nouveau pôle d'expertise dans la région. Maintenant, deux joueurs majeurs sont présents à Québec, Ubisoft et Activision-Blizzard, qui a acheté Beenox en 2005.

Maintenant et demain

Peu à peu l'industrie se transforme. Les récentes années ont été marquées par une expansion du marché. Les joueurs vieillissent et se diversifient. Le jeu vidéo se démocratise de plus en plus avec de nouvelles gammes de jeux pour tous.

L'avenir se dessinera aussi par la convergence des différents médias de divertissement. La rencontre longtemps anticipée entre le cinéma et le jeu vidéo ne se fait plus attendre. Nous assistons actuellement à l'émancipation d'une synergie entre les différents médias. De plus en plus, nous parlerons de divertissement numérique et les créateurs du Québec se démarqueront encore une fois par leur savoir-faire créatif et technique. L'avenir est à nous, le Québec a sans aucun doute tous les atouts nécessaires pour continuer à s'illustrer et à s'imposer comme haut lieu de création et d'innovation.

Nicolas Rioux
Vice-Président-Directeur général d'Ubisoft Québec

Cette comédie québécoise a passionné cinq millions de téléspectateurs chaque soir sur France 2, avant le journal de 20 heures, de 1999 à 2003, et est rediffusée actuellement sur France 4.

Peu de Français savent que la série à succès *Un gars, une fille* est québécoise, écrite par Guy A. Lepage. Adaptée en France par Isabelle Camus et Hélène Jacques, la série d'origine a subi quelques transformations : 486 épisodes de 6 minutes en France, alors qu'au Québec, la série n'avait que 131 épisodes de 26 minutes. Elle a été diffusée sur Radio-Canada de 1997 à 2003.

Un gars, une fille relate la vie quotidienne d'un jeune couple de trentenaires, Loulou et Chouchou, joué par Jean Dujardin et Alexandra Lamy. Leur vie n'est pas un long fleuve tranquille. Ils se marient, se séparent, s'aiment, se disputent sous nos yeux avec beaucoup d'entrain et de drôlerie. Les scènes se passent tantôt chez eux, au lit, au salon, dans la cuisine, dans la salle de bains, tantôt dans un lieu plus exceptionnel comme une île déserte, l'île Maurice ou Hong Kong.

Chouchou est une jeune femme légère, assez hystérique, très jalouse et coquette. Impulsive, elle s'énerve vite et ses cris fusent facilement.

Loulou est un macho prétentieux et orgueilleux, mauvais perdant. Il n'aime pas plus sa belle-mère qu'effectuer les tâches ménagères. Il fait fondre sa compagne dès qu'il exprime ses sentiments. Il a bon cœur et aime profondément Alexandra.

Autour de Loulou et Chouchou gravitent de nombreux personnages tels que Jean-Michel, le copain de Jean, Isabelle, la belle collègue de bureau de Jean avec qui il a eu une aventure, et dont Alexandra est bien sûr très jalouse.

Les dialogues de la série française sont plus agressifs, mais les rapports de force sont plus équilibrés dans ce couple. Le couple québécois, Sylvie et Guy, est plus consensuel. Les deux amoureux négocient perpétuellement leur place au sein du couple.

Les différences culturelles entre les deux séries sont assez marquées et intéressantes. Comme nous le fait remarquer Renée Larochelle, de l'Université Laval, « le couple européen affiche une tendance marquée à utiliser l'insulte et à hausser le ton quand le temps est à l'orage ».

Après trois années passées à jouer Chouchou et Loulou, Jean Dujardin et Alexandra Lamy ont uni leur destinée à la ville comme à la scène.

GASPILLE {gaspillage}

Auteure de nombreux ouvrages consacrés à la littérature québécoise, Lise Gauvin, née en 1940, est une écrivaine, essayiste, critique littéraire québécoise, et professeure à l'Université de Montréal.

Élue en 1993 membre de l'Ordre des francophones d'Amérique, en reconnaissance de sa contribution au rayonnement de la littérature francophone, Lise Gauvin a écrit entre autres *L'Écrivain francophone à la croisée des langues*, *La Fabrique de la langue. De François Rabelais à Réjean Ducharme*, *Écrire pour qui ? L'écrivain francophone et ses publics*, ou encore *Écrivains contemporains du Québec*, ouvrage écrit avec Gaston Miron en 1989.

À l'heure de la mondialisation, Lise Gauvin nous « montre à quel point les enjeux des écritures francophones sont emblématiques de la scène littéraire mondiale ». Depuis 2000, l'écrivaine tient une chronique des « Lettres francophones » dans *Le Devoir*.

Lise Gauvin a publié un essai, *Lettres d'une autre ou Comment peut-on être québécois(e) ?* À la manière de Montesquieu et avec humour, elle nous offre une image très vivante du Québec.

Comment peut-on être québécois ? Telle est la question que se pose une jeune Persane, itinérante par atavisme et voyageuse par curiosité, récemment arrivée au Québec pour y poursuivre des études littéraires. À une amie restée en Perse, Roxane fait part de ses étonnements, de ses commentaires sur des comportements et des lieux qui lui paraissent « d'une inaliénable étrangeté ».

Lettres d'une autre est aujourd'hui un des classiques de la littérature québécoise.

Quatrième lettre, Mars

« Il est une tradition fortement ancrée dans la mentalité québécoise : celle de l'hospitalité. On m'a appris que dans les campagnes il y a encore quelques années, on mettait un couvert de plus, à chaque repas un peu solennel, pour un invité-surprise, quêteux, "survenant" ou simple voyageur à la recherche d'un abri. Il y avait même un meuble attitré, appelé banc du quêteux, réservé à celui-ci pour la nuit. C'est dire à quel point on respectait l'autre, l'inconnu. Jusqu'à le mythifier même dans certaines régions plus isolées où, comme dans *Le Survenant* de Germaine Guèvremont – roman de type réaliste dont l'action se situe au Chenal du Moine, dans les îles de Sorel –, on désigne le nouveau venu sous le nom de Grand Dieu des routes. Si on fait la part de l'affabulation romanesque, on n'en retrouve pas moins encore l'ambivalence : attrait pour une carrière nomade, celle de l'ancien coureur des bois, et nécessité sédentaire, celle de l'habitant, du cultivateur. [...] J'aime par contre l'atmosphère détendue qui règne chez les écrivains ou aspirants écrivains que je commence à côtoyer. Ils se connaissent à peu près tous, disent en secret quelque mal les uns des autres, mais se supportent assez bien et profitent des occasions qui leur sont offertes pour se rencontrer. J'ai passé en leur compagnie de bons moments. [...]

Au plaisir de te lire, Roxane. »

Lise Gauvin, *Lettres d'une autre*,
© Éditions de l'Hexagone, 1987.

Jacques GODBOUT

Jacques Godbout s'est imposé comme romancier avec *Salut Galarneau !*, un classique de la littérature québécoise. Dans une langue vivante et colorée, à la fois ironique et sérieuse, nourrie d'images chocs, l'écrivain raconte le destin de François Galarneau, « roi du hot dog et de la patate frite » qui, grâce à l'écriture – il faut bien s'occuper entre deux fritures –, va réfléchir joyeusement sur les événements marquants de sa vie. Suivent *D'amour, P.Q., Les Têtes à Papineau, Une histoire américaine* et *La Concierge du Panthéon*.

Romancier, journaliste, cinéaste, essayiste, dramaturge et poète, l'écrivain est né à Montréal en 1934. Après une maîtrise à l'Université de Montréal, il est enseignant, puis publicitaire, avant d'entrer à l'Office national du film (ONF) où il écrit et réalise de nombreux courts et longs-métrages tels que *Kid Sentiment, La Gammick, IXE-13, YUL 871, Derrière l'image* et *Le Sort de l'Amérique*, film libre et provoquant, vision originale et très intéressante de la bataille des plaines d'Abraham du 13 septembre 1759, une des dates les plus importantes de l'histoire canadienne. Ses films et ses livres ont été couronnés de nombreux prix.

Jacques Godbout est aussi journaliste, et essayiste : *Le Murmure marchand* et *L'Écran du bonheur*. On retrouve sa plume dans nombre de revues et journaux, des *Nouvelles littéraires* au *Devoir* en passant par *L'Actualité*. En 1959, il participe à la fondation de la revue *Liberté* ainsi qu'à celle du Mouvement laïque de langue française et, en 1968, il s'implique dans la création du mouvement Souveraineté-Association, qui plus tard donnera naissance au Parti québécois.

L'engagement politique de Jacques Godbout semble coïncider avec sa grande verve, où littérature et disciplines sociopolitiques se greffent sans cesse les unes aux autres, avec humour et lucidité.

Salut Galarneau !

« Quand je serai bien mort, ils s'amuseront encore. Adam est à un million de générations. Grand-papa lointain, on ne sait même pas où tu fus enterré. Stie, Stie de plaignard. Vaurien, Lapin triste. T'embêtes les gens. Tu devrais faire un livre gai : la vie est trop courte, s'il faut en plus la pleurer ! Tu deviens le bedeau niais d'une mélancolie d'adolescent. Sonne les cloches, sacrement ! Fais le bilan : tu es libre, tu ne dois rien à personne, tu ne fais qu'à ta tête. Si tu voulais, tu pourrais remettre les roues au vieil autobus qui te sert de stand et partir parcourir le monde. Quatre roues, quatre dromadaires ; tu vendrais tes frites et tes saucisses sur les places publiques, puis, en avant la musique ! défileraient les pays sages.

Tu as raison, il ne faut surtout pas faire comme Martyr et attendre la mort en chassant les taons qui sillent. Je vais fermer la porte derrière moi et monter dans la fusée qui m'attend au bout du champ. J'irai dans la lune pour voir qui des Russes ou des Américains aluniront les premiers ; pour entendre le premier juron d'homme dans "la mer des Sargasses". Je serai le premier ethnographe lunaire ; j'ouvrirai un stand aussi, le Moon Snack Bar, pour les cosmonautes de passage et les lunautes amoureux qui viendront faire du parking derrière les rochers blancs. »

Jacques Godbout, *Salut Galarneau !*

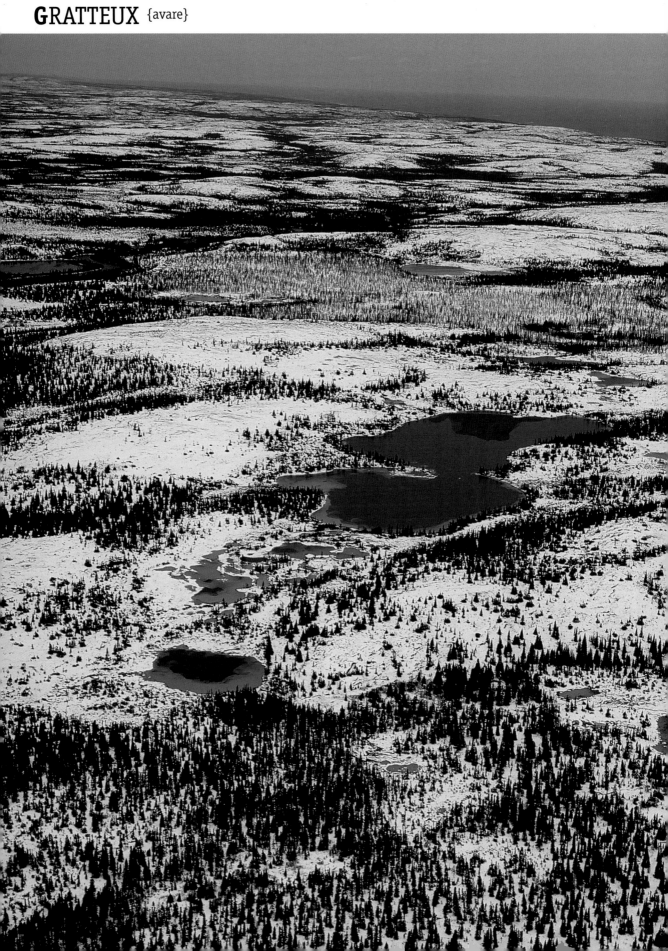

Anne HÉBERT

Fille d'un critique littéraire, écrivaine et poète, Anne Hébert est née en 1916 à Sainte-Catherine-de-Fossambault, près de Québec. Elle a grandi dans un milieu intellectuel qui lui a permis de s'exprimer, à une époque où les femmes étaient le plus souvent condamnées au silence.

C'est en 1942 qu'elle publie un premier recueil de poèmes, *Les Songes en équilibre*, où elle évoque l'angoisse de la solitude, ainsi qu'un recueil de nouvelles, *Le Torrent*. Après avoir écrit pour la radio et publié à compte d'auteur le poème *Le Tombeau des rois*, Anne Hébert devient la première femme scénariste francophone de l'Office national du film (ONF). En 1954, elle quitte le Québec pour la France, puis partage sa vie entre les deux continents avant de s'installer à Paris en 1967 pour trente ans.

Dans ses romans majeurs, *Kamouraska*, *Les Enfants du sabbat*, *Les Fous de Bassan*, *L'Enfant chargé de songes*, Anne Hébert oppose souvent une écriture réaliste et descriptive à une histoire dans laquelle symboliques et légendes québécoises tiennent une large place. « L'écrivain est une sorte de sourcier sans baguette de coudrier, ni aucune baguette magique, qui se contente d'être attentif, à la pointe extrême de l'attention, au cheminement le plus lointain d'une source vive », écrit-elle.

C'est une des grandes leçons que nous donne son œuvre qui a reçu de nombreuses récompenses littéraires. Elle nous dit aussi que la langue française, dans laquelle elle a voulu s'immerger en quelque sorte en vivant à Paris, fait partie non seulement de l'héritage des Québécois, mais aussi de leur être.

Anne Hébert ne va regagner le Québec que trois ans avant sa mort en 2000. Son pays qu'elle n'a jamais cessé d'habiter dans son cœur et dans ses livres.

L'Enfant chargé de songes

« Ce n'est tout d'abord qu'une lueur comme un vieux fanal à travers la brume, au bord de la route. Une sorte de balise réconfortante dans le paysage englouti. Il va vers cette lueur comme quelqu'un qui se serait perdu. Ivre de fatigue, il est attiré par la flamme de la forge comme un papillon par le feu d'une lampe. Il se raconte des histoires comme pour se rassurer. Une escale, rien qu'une petite escale, sur le chemin du retour, se répète-t-il, le temps de me réchauffer les mains et tout le corps avant de rentrer à la maison. L'espoir de revoir Lydie l'amène bientôt, pieds et poings liés, sans force et sans défense, sur le seuil de la forge. Le voici dans la chaleur étouffante. Il respire l'odeur d'étable et d'enfer. Ses vêtements mouillés lui fument sur le corps. Il doit faire un effort pour reconnaître Lydie parmi les enfants assis par terre, coude à coude, dans l'ombre, fascinés par le spectacle du feu et des chevaux. Elle se lève et vient vers lui, souriante et extasiée, comme pour lui confier sa vie tout entière. S'approche de lui tout près, murmure dans un souffle :
– J'ai la passion des chevaux.
Julien s'entend dire, sa voix passant à peine dans sa gorge serrée, comme s'il avouait à son tour sa vérité redoutable :
– J'ai la passion de vous. »

Anne Hébert, *L'Enfant chargé de songes*,

© Éditions du Seuil, 1992, coll. « Points », 1999.

IMMIGRATION ET INTÉGRATION AU QUÉBEC

Une stratégie équilibrée, un pari tenu

Comme maire d'une ville d'immigration, longtemps parlementaire et ancien secrétaire d'État chargé de la Coopération et de la Francophonie, je défends depuis plus de trente ans une vision moderne des questions d'immigration et d'intégration, que je veux fondée sur la cohérence, la clarté et le pragmatisme.

Une mission de nature économique m'a offert, il y a quelques années, de mieux découvrir la politique d'immigration et d'intégration du Québec, qui me semble emblématique de la voie à suivre, pour quelques raisons évidentes.

Pays d'immigration et d'accueil, le Canada est aujourd'hui une société multiculturelle au plein sens du terme. L'immigration, sur le mode fédéral, est une compétence partagée entre le gouvernement central et les provinces.

Le Québec, au fil d'ententes successives conclues avec le gouvernement fédéral, a acquis des pouvoirs déterminants en immigration. La dernière de ces ententes, l'*Accord Canada-Québec relatif à l'immigration et à l'admission temporaire des aubains (étrangers)*, en vigueur depuis 1991, laisse au Québec la responsabilité exclusive en matière de sélection des immigrants permanents se destinant à son territoire – lorsque des critères de sélection s'appliquent – alors que le Canada demeure responsable de leur admission, c'est-à-dire des aspects liés à la santé et à la sécurité nationale. Ces immigrants sélectionnés composent les deux tiers des immigrants admis chaque année au Québec.

Le Québec, grâce à l'Accord, détermine les volumes et la composition de l'immigration qu'il reçoit et est également maître d'œuvre de l'intégration des immigrants qui s'établissent chez lui. Il prend donc en charge les services d'intégration linguistique, culturelle et économique et reçoit du Canada une juste compensation pour cette offre de service[1].

Une immigration maîtrisée

La politique d'immigration du Québec se fonde en premier lieu sur des objectifs quantifiés. Spécificité québécoise, c'est par la voie d'une commission parlementaire, tenue tous les trois ans, que le gouvernement établit ses objectifs d'admission et les orientations de sa politique d'immigration. De plus, le

ministre québécois de l'Immigration, conformément à la loi sur l'immigration au Québec, dépose chaque année à l'Assemblée nationale un rapport comportant les données statistiques sur l'année écoulée
et une « cible » d'immigration pour l'année suivante. Cette cible, qui est de 47 400 à 50 000 nouveaux
immigrants en 2009, exprime la recherche d'un équilibre entre les besoins du marché du travail et la
capacité d'accueil de la société québécoise.

Cette politique de l'immigration s'appuie ensuite sur des critères qualitatifs. L'idée est de sélectionner
les migrants qui ont les meilleurs moyens de réussir leur intégration. Un système de points a ainsi été mis
en place pour les travailleurs qualifiés : des caractéristiques aussi diverses que la compétence linguistique, les études, l'expérience, l'âge, la présence d'enfants, les capacités d'adaptation et d'autonomie
financière sont évaluées sur des échelles de points.

La politique d'immigration du Québec repose enfin sur une approche territorialisée. Le Québec s'est
ainsi fixé dans les années 90[2] des objectifs clairs dans la répartition géographique des migrants, et en
particulier les communautés francophones, afin de réduire le « dualisme socio-culturel » actuel entre la région métropolitaine de Montréal – qui regroupe plus de 85 % des immigrants – et le reste du
Québec[3].

Un lien étroit et permanent entre immigration et intégration

La politique québécoise repose sur une approche responsabilisante et contractuelle envers les migrants. Responsabilisante parce que le candidat à l'immigration est chargé lui-même d'évaluer ses capacités d'intégration à travers le questionnaire qui lui est proposé dans les bureaux d'accueil des pays
d'immigration ou en ligne.

Contractuelle ensuite dans la mesure où l'État pose un « contrat moral ». Au Québec, cela se reflète
dans le respect des valeurs communes de la société québécoise qui recouvre notamment que le Québec est une société libre et démocratique, basée sur la primauté du droit, que les femmes et les hommes
y ont les mêmes droits et que les pouvoirs politiques et religieux au Québec sont séparés[4].

Finalement, la citoyenneté canadienne est conditionnée à des critères d'intégration : pour l'obtenir, il
est nécessaire d'avoir séjourné au moins trois des quatre dernières années au Canada à titre de résident

1. Ministère des Relations avec les citoyens et de l'Immigration du Québec (2000), *Accord Canada-Québec relatif à l'immigration et à l'admission temporaire des aubains (étrangers)*, Québec, Gouvernement du Québec, art. 12.

2. Ministère des Communautés culturelles et de l'Immigration du Québec (1991), *Au Québec pour bâtir ensemble. Énoncé de politique en matière d'immigration et d'intégration*, Québec, Ministère des Communautés culturelles et de l'Immigration du Québec, p. 73.

3. Source : Statistique Canada, recensement de 2006, 97-557-XCB200613 au catalogue.

4. Ministère de l'Immigration et des Communautés culturelles (2008), *Pour enrichir le Québec. Affirmer les valeurs de la société québécoise*, Québec, p. 8-11.

permanent, de réussir un questionnaire à choix multiples (QCM), sur les langues française et anglaise et sur les droits et devoirs du citoyen canadien.

Une intégration aboutie

Le Québec s'est doté d'une véritable politique d'intégration, disposant des moyens de ses ambitions. La politique d'« interculturalisme » vise à un équilibre juste entre un socle culturel français commun et les cultures des minorités, présentées comme légitimes et qui doivent être maintenues « originales et vivantes partout où elles s'expriment ». Elle repose sur un partenariat large avec tous les acteurs de la société : le gouvernement québécois souhaite avant tout mieux outiller la société civile, les syndicats et l'opinion publique pour qu'ils soient vecteurs de la loi. Des jumelages sont même mis en place entre les immigrants et des familles québécoises.

La citoyenneté canadienne est assez largement octroyée à 85 % des immigrants. C'est une citoyenneté au sens plein qui donne droit immédiatement au droit de vote pour tous les scrutins, et à une éligibilité à tous les mandats, ainsi qu'aux postes ministériels.

Une réussite incontestable

L'insertion dans l'emploi de l'ensemble des immigrants est aboutie. Au Canada en 2006[5], le taux de chômage pour l'ensemble des immigrants est légèrement plus élevé que celui des natifs (6,9 % contre 6,4 %). Toutefois, l'écart est supérieur pour les minorités visibles immigrantes (8,2 %).

Par ailleurs, que ce soit dans l'ensemble du Canada ou au Québec, des écarts salariaux demeurent entre la population immigrante et les natifs. Néanmoins, ces écarts s'amenuisent avec le temps de résidence des immigrants au pays.

Au Québec, entre 2001 et 2006, à l'instar de ce que l'on constate pour l'ensemble de sa population, les indicateurs du marché du travail affichent une amélioration de la situation des minorités visibles ; leurs taux d'activité et d'emploi se sont accrus, leur taux de chômage, quant à lui, a diminué. Notons que cette amélioration est d'autant plus remarquable lorsqu'on sait que la forte croissance de la population des minorités visibles entre 2001 et 2006 provient essentiellement de l'immigration. La population qui appartient à l'une ou l'autre minorité visible atteignait en 2006, 16,2 % de la population totale canadienne et 8,8 % de la population québécoise.

5. Source : Statistique Canada, Recensement de 2006.

Au terme d'une importante politique de communication de l'État fédéral soulignant les apports de l'immigration pour le pays, 73 % des Canadiens considèrent son effet comme bénéfique pour le Canada.

La politique d'immigration et d'intégration du Québec me semble fondée sur le pari d'une intégration large et rapide d'une immigration très diverse. Elle s'appuie aussi sur des objectifs clairs, en phase avec les besoins d'un pays multiculturel et propose une dimension de l'identité nationale, fondée à la fois sur la promotion de la citoyenneté et la reconnaissance d'une réelle diversité culturelle au sein du peuple québécois.

Jean-Marie Bockel
Maire de Mulhouse
Ancien secrétaire d'État chargé de la Coopération et de la Francophonie

Tout au long de sa carrière, Marie Laberge a su s'imposer comme une figure importante du paysage littéraire québécois et conjuguer son talent sur une riche palette.

Née à Québec en 1950, Marie Laberge est romancière, auteure dramatique et comédienne. Elle commence à écrire dès l'âge de onze ans. Après des études chez les Jésuites, elle suit des cours de journalisme puis entre au Conservatoire d'art dramatique de Québec. Comédienne, elle va jouer Brecht et Tchekhov puis devenir metteur en scène et enseigner l'art dramatique.

L'artiste a écrit plus d'une vingtaine de pièces. *C'était avant la guerre à l'Anse à Gilles*, une de ses pièces maîtresses, *Le Faucon* et *Oublier* ont été jouées à Paris avec succès. Le théâtre de Marie Laberge est fort, sombre, violent. La mort y est très présente. Curieux contraste pour cette belle femme exubérante et pleine de vie. Elle confesse vouloir savourer d'autant plus la vie qu'elle la sait dure et éphémère.

Marie Laberge publie en 1989 son premier roman, *Juillet*, suivi, trois ans plus tard, de *Quelques adieux*. La romancière est appréciée et reconnue. Puis paraissent *Annabelle*, *La Cérémonie des anges*. Le succès est au rendez-vous. Dans la trilogie *Le Goût du bonheur* : *Gabrielle*, *Adélaïde* et *Florent*, l'auteure reprend avec force son sujet majeur, le courage des êtres humains maltraités par la vie, qui, en dépit de toutes les épreuves qu'ils traversent, gardent le goût du bonheur. Le grand plaisir que procure cette saga a redonné espoir et confiance à de nombreux lecteurs qui dévorent ses romans avec joie.

Le Désir

« François n'a plus que le temps de glisser des coups d'œil anxieux vers le rayon de soleil qui n'a pas encore bougé. [...] Bien sûr, les étudiants rient de bon cœur, en tout cas avec bonne volonté, mais elle, elle n'a pas seulement levé les yeux. [...] Ce n'est qu'à Morissette qu'elle bouge. Frémit serait plus juste d'ailleurs. Une sorte de "ouais" est émis. Pour le regard, tu repasseras. [...] Il sourit soudain, frappé par le fait qu'il ne connaît rien d'elle et son nom, seulement son nom ne lui convient déjà pas. »

Marie Laberge, *Quelques adieux,*
© 1997, Productions Marie Laberge inc.

Vivre et écrire

Québec est la ville où je suis née. Nous habitions sa banlieue proche, une campagne d'où, tous les soirs, je voyais la ville briller, scintiller.

C'est à Québec que mon père allait travailler, à Québec aussi que je suivais des cours de ballet et que je fréquentais la bibliothèque, sorte de caverne aux trésors inépuisables.

Est-ce parce qu'elle était le point de chute de toute activité hors de l'ordinaire, le point central de tout ce qui touchait ma vie, que Québec m'apparaissait si désirable ? J'avais onze ans quand nous y sommes déménagés.

À dix-huit ans, je visitais des appartements, en quête d'émancipation familiale.

J'avais dix-neuf ans quand j'ai tourné la clé dans la serrure de ma vie adulte, et c'était – quelle chance ! – terrasse Dufferin. Le fleuve majestueux m'éblouissait tous les matins, quand je courais vers l'Université Laval.

Pour une fille de Québec, la vieille ville n'est pas une exceptionnelle beauté qui a su résister aux années, c'est le cadre de sa vie. Flirter sur la Terrasse, se promener sur les plaines d'Abraham, main dans la main avec un « peut-être », refaire le monde jusqu'à l'aube dans un bar nommé Le Chantauteuil, étudier au Conservatoire d'art dramatique juché devant le Bastion de la Reine et y faire mes premiers pas d'artiste... Il me semble qu'une ville qui abrite nos premiers espoirs, nos ambitions les plus viscérales, nos premiers baisers fulgurants et notre premier chagrin d'amour, cette ville se nomme à partir de nos élans et de nos échecs, cette ville s'ancre en nous à mesure que notre vie s'y écrit. Et quand notre vie, c'est l'écriture, la ville s'infiltre entre les lignes.

Pour moi, cette ville c'était Québec – « là où le fleuve se rétrécit », comme l'avaient nommée les Amérindiens – là où ma vie à moi s'est élargie.

Marie Laberge
Dramaturge et romancière

LAVEUSE {machine à laver}

C'est l'une des figures les plus marquantes de la chanson francophone. Pionnier de la chanson québécoise, Félix Leclerc est né en Haute Mauricie en 1914, sixième d'une famille de onze enfants. Il est auteur-compositeur-interprète, chansonnier, poète, écrivain et acteur québécois. Après des études de philosophie à Ottawa, il occupe divers emplois avant d'être animateur radio à Québec et comédien pour Radio-Canada. Il écrit des textes et chante ses premières chansons dans les années 30.

Félix Leclerc est découvert en France en 1950 et rencontre un succès immédiat. Son esprit frondeur et irrévérencieux y est très apprécié. Tout est unique chez Félix, sa sensibilité de poète alliée à la force du terrien, ses allures de coureur des bois et son talent de musicien. Il impressionne par la force tranquille avec laquelle il monte seul sur scène. Il va d'ailleurs influencer Brel, Ferré, Brassens et tant d'autres.

En 1953, le chanteur rentre au pays où il est considéré comme le père de la chanson québécoise. En 1970, il s'installe définitivement à l'île d'Orléans.

Son œuvre chante l'enfance, l'air pur, les grands espaces, le pays, l'amour. Son écriture est simple, directe, imagée. Peu à peu, l'artiste va abandonner la poésie traditionnelle pour des chansons engagées dans le débat politique pour l'indépendance dans les années de « la Révolution tranquille ». Ses disques, *L'Alouette en colère*, *Un nouveau jour va se lever*, *Mon fils*, *Le Tour de l'Île*, témoignent de ce combat.

Le 13 août 1974, Félix Leclerc participe, avec Gilles Vigneault et Robert Charlebois, au spectacle de la *Chant'août* sur les plaines d'Abraham à Québec devant plus de cent mille spectateurs. Prestation immortalisée dans l'album *J'ai vu le loup, le renard, le lion*. Son œuvre est couronnée de nombreuses récompenses. Félix Leclerc va s'éteindre en 1988, à l'île d'Orléans.

Quand les hommes vivront d'amour

« Quand les hommes vivront d'amour
Il n'y aura plus de misère
Et commenceront les beaux jours
Mais nous, nous serons morts mon frère

Quand les hommes vivront d'amour
Ce sera la paix sur la Terre
Les soldats seront troubadours
Mais nous, nous serons morts mon frère

Dans la grande chaîne de la vie
Où il fallait que nous passions
Où il fallait que nous soyons
Nous aurons eu la mauvaise partie [...]

Quand les hommes vivront d'amour
Il n'y aura plus de misère
Peut-être song'ront-ils un jour
À nous qui serons morts mon frère

Mais quand les hommes vivront d'amour
Qu'il n'y aura plus de misère
Peut-être song'ront-ils un jour
À nous qui serons morts mon frère

Nous qui aurons aux mauvais jours
Dans la haine et puis dans la guerre
Cherché la paix, cherché l'amour
Qu'ils connaîtront alors mon frère. »

Félix Leclerc,
Quand les hommes vivront d'amour,

paroles et musique de Raymond Lévesque
© 1956 by Éditions Musicales Eddie BARCLAY
© assigned 1964 to Éditions Musicales PATRICIA
& Société d'Éditions Musicales Internationales (SEMI)

La voix de l'artiste est belle et chaude, elle a des idées originales et une grande imagination, ce qui lui donne une écriture personnelle pleine de fraîcheur. Elle décrit avec tendresse mais sans complaisance les difficultés de la vie amoureuse.

Le style de la chanteuse est tantôt sophistiqué, tantôt réaliste. Elle aime se moquer des petits tracas de la vie quotidienne, *Chéri tu ronfles* ou *J'veux pas d'chien*. Sa bonne connaissance de la France et des Français lui permet d'écrire des chansons bien observées comme *Les Maudits Français*.

Née à Portneuf en 1966, Lynda Lemay est une chanteuse au talent reconnu. Après des études littéraires, elle reçoit en 1989 le prix de l'Auteur-Compositeur-Interprète lors d'un festival de la chanson au Québec. Elle sort un premier album en 1991, *Nos Rêves*, et un deuxième, *Y*, trois ans plus tard. La chanteuse commence à se faire connaître en France en 1995 avec *La Visite*.

C'est au Festival de jazz de Montreux, lors d'un concert en hommage à Charles Trenet, l'année suivante, qu'elle rencontre Charles Aznavour et son associé Gérard Davoust. Subjugués par son talent, ils lui proposent alors de l'éditer, ce que Lynda Lemay accepte.

Un quatrième album en 1998 enrichit sa production avec notamment l'excellent titre *Les Souliers verts*. Lynda Lemay rencontre un grand succès avec *Les Lettres rouges* en 2002, des chansons tragiques, des chansons qui bouleversent, *Les Secrets des oiseaux*, *Un paradis quelque part*. La même année, Lynda présente en France son opéra folk *Un éternel hiver*, une histoire d'amour et de haine qu'elle a elle-même écrite, composée et mise en scène. *Ma signature* sort en 2006.

Lynda Lemay est passée à l'Olympia de Paris en avril 2009 pour la cinquantième fois !

Les Maudits Français

« Y parlent avec des mots précis
Puis y prononcent toutes leurs syllabes
À tout bout d'champ, y s'donnent des bis
Y passent leurs grandes journées à table

Y ont des menus qu'on comprend pas
Y boivent du vin comme si c'était d'l'eau
Y mangent du pain pis du foie gras
En trouvant l'moyen d'pas être gros [...]

Y tombent en amour sur le coup
Avec nos forêts et nos lacs
Et y s'mettent à parler comme nous
Apprennent à dire : Tabarnak

Et bien saoulés au caribou
À la Molson et au gros gin
Y s'extasient sur nos ragoûts
D'pattes de cochon et nos plats d'binnes [...]

Quand leur séjour tire à sa fin
Ils ont compris qu'ils ont plus l'droit
De nous appeler les Canadiens
Alors que l'on est québécois

Y disent au revoir, les yeux tout trempés
L'sirop d'érable plein les bagages
On réalise qu'on leur ressemble
On leur souhaite bon voyage

On est rendu qu'on donne des becs
Comme si on l'avait toujours fait
Y a comme un trou dans le Québec
Quand partent les maudits Français... »

Lynda Lemay, *Les Maudits Français*,
paroles et musique de Lynda LEMAY

Robert LEPAGE

Magicien de l'ère multimédia, seul ou avec sa troupe, Robert Lepage a révolutionné la scène théâtrale en repoussant constamment les limites de la mise en scène. Ses spectacles sont magnifiques et un peu déroutants. Ses personnages sont mystérieux et citoyens du monde. Ils parlent français, anglais, japonais, chinois. Avec lui, les frontières disparaissent.

Cet homme de théâtre et créateur polyvalent est né à Québec en 1957. Robert Lepage est metteur en scène, réalisateur, acteur, auteur et cinéaste. Il grandit au sein d'une famille où l'on parle l'anglais aussi bien que le français. Il entre au Conservatoire d'art dramatique de Québec à l'âge de dix-sept ans.

Avec *Circulations,* en 1984, il connaît un premier succès d'estime, mais c'est *La Trilogie des dragons* qui va lancer sa carrière internationale l'année suivante. Deux gamines rieuses dans le quartier chinois de Québec vont devenir des femmes, et traverser les épreuves de la vie, sur fond de mythologie liée aux dragons : vert, aquatique, dragon de l'innocence, puis rouge, emblème de la terre, du feu, de la guerre, enfin blanc, le dragon de la mort, de la renaissance. Dans *La Trilogie des dragons,* Robert Lepage met en scène la relation entre l'Occident et l'Orient qui se regardent la nuit dans le miroir du Pacifique.

Sa pièce *La Face cachée de la lune* en 2000, confrontation de deux frères secoués par la mort de leur mère, touche à toutes les disciplines artistiques : opéra, musique rock, théâtre, cirque, cinéma. Un seul acteur incarne tous les personnages de cette fresque historique et intime.

L'artiste s'illustre également dans des spectacles solo dont il assume tous les rôles : *Vinci, Les Aiguilles et l'opium, Elseneur,* et quelques autres. Dans *Le Projet Andersen* en 2005, Lepage oppose encore l'Orient et l'Occident, et explore les espaces intérieurs les plus secrets des personnages d'Andersen.

Robert Lepage a été choisi pour célébrer les 400 ans de la fondation de la ville de Québec en 2008, où le grand artiste a installé sa compagnie de création. Pour son spectacle *Le Moulin à images,* il a transformé un ancien silo à grains en site de projection architecturale d'images merveilleuses, sorte de grand dessin animé consacré à Québec.

« Le mélange des genres est la seule chose qui entretient le dynamisme et enrichit. »

Robert Lepage
Fondateur et directeur de la compagnie Ex Machina

Gaston MIRON

Considéré comme l'un des plus grands poètes québécois, il fait figure de modèle pour les générations qui le suivent. Gaston Miron, né en 1928 à Sainte-Agathe-des-Monts au Québec, se définit avant tout comme un lutteur épris de justice et de liberté. Ses premiers poèmes paraissent en 1952. Il exerce un peu tous les métiers, tout en étudiant les sciences sociales à l'Université de Montréal. Il habite à Paris dans les années 60.

Dix ans plus tard, le poète rassemble quelques-uns de ses textes en prose, dans un recueil intitulé *L'Homme rapaillé* qui lui vaut de nombreux prix et récompenses, dont le prix Apollinaire en France en 1981.

Poète militant pour la cause indépendantiste, Gaston Miron participe au Rassemblement pour l'indépendance nationale et publie ses premiers poèmes dans *L'Amérique française* et *Le Devoir*, puis dans plusieurs revues et journaux dont *Liberté* qu'il contribue à fonder.

Son écriture est riche en rythmes, mélodies et mots évocateurs de la réalité québécoise. Ses poèmes d'amour pour les êtres et pour sa nation sont à la fois les plus passionnés et les plus révoltés des textes de son époque.

Jean Royer, directeur littéraire de *L'Hexagone*, et ami du poète, écrit dans un témoignage adressé au *Devoir* : « Gaston Miron était un intellectuel rigoureux autant que fougueux. En politique, il était progressiste et indépendantiste, fidèle à notre peuple et à sa culture. Il voulait convertir un à un les citoyens du Québec à la souveraineté parce qu'il croyait à l'existence de notre culture et à l'avenir de la langue française au Québec. »

Son poème *La Marche à l'amour* est l'un des plus beaux jamais écrits en Amérique française.
Décédé en 1996, ses funérailles nationales rendirent à Gaston Miron l'hommage de tout son pays.

Compagnon des Amériques

« Compagnon des Amériques
Québec ma terre amère
   [ma terre amande
ma patrie d'haleine
   [dans la touffe des vents
j'ai de toi la difficile
   [et poignante présence
avec une large blessure
   [d'espace au front
dans une vivante agonie
   [de roseaux au visage. »

Gaston Miron, *L'Homme rapaillé, la vie agonique,*
© Presses de l'Université de Montréal, 1970.

LE QUÉBEC FACE À LA MONDIALISATION

Le revenu par tête au Québec le classe parmi les vingt premières économies du monde. Il exporte la moitié de sa production et a fait naître et abrite un nombre impressionnant de sociétés multinationales orientées surtout vers la technologie avancée et la haute valeur ajoutée. On y retrouve l'aéronautique, le matériel de transport en général, les technologies de l'information, la pharmacie, les biotechnologies, l'optique, le génie-conseil et autres. Le rayonnement culturel n'est pas négligeable non plus et le Cirque du Soleil est le plus grand succès mondial de l'histoire de cette discipline. Céline Dion est à sa manière planétaire elle aussi !

Tous ces succès d'une ampleur surprenante pour une nation de 7,7 millions d'habitants découlent largement du fait que le Québec est profondément relié à deux univers culturels et scientifiques aux qualités souvent complémentaires qui font de lui une intéressante synthèse intercontinentale. Le Québec est profondément nord-américain, mais sa résilience linguistique et culturelle l'a conduit à garder des liens étroits avec la France et l'Europe en général. L'industrie de l'aérospatiale donne précisément une belle illustration de l'impact de ce raccordement à des sources technologiques multiples. Les trois grands centres mondiaux de fabrication de ce secteur sont en effet Seattle, Montréal et Toulouse. Montréal est d'ailleurs au deuxième rang pour le nombre d'emplois et l'on ne peut pas isoler ce fait d'une formidable convergence : le Québec, c'est à la fois l'Amérique et l'Europe.

Autre fait significatif : c'est le Québec qui, le premier en Amérique du Nord, se fit le promoteur des libertés de circulation inspirées du traité de Rome et qui a amené le Canada à signer un premier traité bilatéral de libre-échange avec les États-Unis, qui conduisit plus tard à l'ALÉNA incluant le Mexique. C'est un vote massif du Québec qui amorça ce mouvement vital.

La nation québécoise est donc non seulement prête pour la mondialisation, mais elle y est pratiquement prédestinée et elle la vit déjà avec succès. Il faut dire qu'en plus de son haut niveau technologique, résultant en particulier d'une « révolution tranquille » en éducation et d'un virage technologique planifié et fortement soutenu par son gouvernement national, le Québec dispose, sans aucun mérite particulier évidemment, d'une formidable dotation en ressources naturelles. Une production hydro-électrique à nulle autre pareille, à l'époque de l'énergie propre, constitue notamment un atout incomparable. Une abondance de gisements d'or, de cuivre, de zinc, de fer et d'autres minéraux de base facilite aussi la participation au commerce mondial et fait contrepoids, à cause des prix élevés propulsés par les pays émergents, aux pertes d'emplois reliées à la concurrence de ces mêmes grands espaces économiques que sont la Chine et l'Inde.

Notre affiliation intercontinentale a aussi un impact sur notre attitude face au reste du monde. Un grand nombre de nos intellectuels penseurs et chercheurs ont été formés en Europe ou aux États-Unis, ce qui nous a enrichis dans une très féconde diversité. Les Québécois sont sans doute un des peuples les plus multilingues du monde, tout en étant attachés d'une manière exemplaire à leur langue nationale commune et officielle : le français. L'ouverture depuis toujours à une importante immigration, conviée par la voix d'une nécessaire convergence culturelle à enrichir le tronc commun fondateur, facilite aussi les rapports avec le reste du monde.

Enfin la taille de notre nation et l'infime minorité linguistique et culturelle qu'elle constitue en Amérique la rendent plus consciente des périls d'homogénéisation liés à la mondialisation et la mobilisent au service de l'incontournable diversité culturelle. L'affaiblissement des cultures et des langues nationales ne constituent pas un progrès pour l'humanité. La mondialisation doit être humanisée et régulée dans ce sens et ne doit pas être essentiellement mercantile au détriment des valeurs spirituelles et culturelles. Dans ce combat en vue d'une mondialisation équilibrée, on peut compter sur le Québec qui a de puissantes motivations pour y participer.

Bernard Landry
Ancien Premier ministre du Québec

MOSSELLE {muscle, biceps}

Wajdi Mouawad est devenu une présence essentielle sur la scène internationale. Artiste associé au Festival d'Avignon 2009, c'est dans la Cour d'honneur du palais des Papes qu'il a présenté, en une seule nuit, les trois premières parties du *Sang des promesses* : *Littoral, Incendies, Forêts*. Il a créé *Ciels*, le dernier volet de son quatuor, à cette occasion.

Enfant, Wajdi Mouawad était convaincu que le monde était enchanté. Il se rend compte que tout ce qui l'enchante vient de la nature. Depuis vingt ans, il explore les thèmes de l'identité, des racines et de la mémoire. Pour lui, « le théâtre, c'est l'art du signe, c'est écouter et voir ».

Cofondateur du théâtre Ô Parleur, Wajdi Mouawad est auteur, metteur en scène et comédien. Il est né en 1968 au Liban en pleine guerre civile. Il quitte son pays à huit ans pour Paris, puis Montréal où il suit des cours de théâtre. Sa première création va le révéler au public à l'âge de trente ans. Du Liban au Québec, Wajdi Mouawad est un déraciné aux multiples métamorphoses.

Difficile de résumer le souffle de vie qui parcourt *Le Sang des promesses*. Dans *Littoral*, créé en 1997, il est question du voyage d'un adolescent pour enterrer un père. *Incendies* est la quête d'une sœur et d'un frère pour découvrir le secret de leur mère décédée : Jeanne et Simon n'ont que vingt ans, la guerre n'est donc pas si lointaine. Au-delà du message universel, la force d'*Incendies* est de nous réveiller à notre propre histoire. L'auteur ancre sa pièce dans le monde actuel, avec son langage, ses téléphones portables, ses modes vestimentaires, sa musique. Quant à *Forêts*, c'est un parcours à la recherche des origines.

Wajdi Mouawad nous amène finalement à questionner nos propres incendies, nos propres origines, notre propre filiation, notre propre vie. Il nous aide à grandir. Depuis la fin 2007, Wajdi Maouawad est directeur du Théâtre français du Centre national des arts à Ottawa.

Lettre aux jumeaux

« NAWAL :
Simon, est-ce que tu pleures ?
Si tu pleures ne sèche pas tes larmes
Car je ne sèche pas les miennes.
L'enfance est un couteau dans la gorge
Et tu as su le retirer.
À présent, il faut réapprendre
    [à avaler sa salive.
C'est un geste parfois très courageux.
Avaler sa salive.
À présent, il faut reconstruire l'histoire.
L'histoire est en miettes.
Doucement
Consoler chaque morceau
Doucement
Guérir chaque souvenir
Doucement
Bercer chaque image.

Jeanne, est-ce que tu souris ?
Si tu souris, ne retiens pas ton rire
Car je ne retiens pas le mien.
C'est le rire de la colère
Celui des femmes marchant côte à côte
Je t'aurais appelée Sawda
Mais ce prénom encore dans son épellation
Dans chacune de ses lettres
Est une blessure béante au fond
    [de mon cœur.
Souris, Jeanne, souris [...]
J'ai été en colère contre ma mère
Tout comme tu es en colère contre moi
Et tout comme ma mère fut en colère
    [contre sa mère
Il faut casser le fil. »

Wajdi Mouawad, *Incendies,*

Émile NELLIGAN

Poète québécois à l'immense talent, Émile Nelligan, né en 1879 à Montréal, est le fils d'un immigrant irlandais et d'une Québécoise francophone. Très jeune, il abandonne ses études pour se consacrer à la poésie.

Dès l'âge de seize ans, il publie ses poèmes dans des journaux locaux. Émile Nelligan est marqué par l'influence des poètes symbolistes tels que Verlaine, Baudelaire, Rodenbach, Lord Byron et Edgar Poe. La musique de Chopin et de Paderewski le touche particulièrement. D'une extrême sensibilité, sa santé mentale chancelle en 1899, il doit alors être interné et le restera jusqu'à sa mort.

Dans sa poésie, Nelligan explore les dimensions symboliques de la langue et sa sombre vision intérieure personnelle. Trois de ses poèmes résument l'essentiel de son destin d'homme et d'artiste : *La Romance du vin, le Vaisseau d'or* et *Devant deux portraits de ma mère*. Grâce à son originalité, l'œuvre de Nelligan marque une étape importante dans l'histoire de la poésie canadienne-française.

En 1904, un recueil de ses poèmes est publié au Québec, publication qui va le faire connaître dans les pays francophones. Après sa mort en 1941, Nelligan est de plus en plus apprécié. Ses poèmes seront par la suite traduits en anglais. Aujourd'hui, Émile Nelligan est encore considéré comme un des plus grands poètes du Québec.

Le Vaisseau d'or

« Ce fut un grand Vaisseau
    [taillé dans l'or massif :
Ses mâts touchaient l'azur,
    [sur des mers inconnues ;
La Cyprine d'amour,
    [cheveux épars, chairs nues
S'étalait à sa proue,
    [au soleil excessif. [...]

Ce fut un Vaisseau d'Or,
    [dont les flancs diaphanes
Révélaient des trésors
    [que les marins profanes,
Dégoût, Haine et Névrose,
    [entre eux ont disputés.

Que reste-t-il de lui
    [dans la tempête brève ?
Qu'est devenu mon cœur,
    [navire déserté ?
Hélas ! Il a sombré
    [dans l'abîme du Rêve ! »

Émile Nelligan, *Le Vaisseau d'or,*
© *Éditions Fidès*, 1952.

NOUVELLE-FRANCE
LORSQUE L'AMÉRIQUE ÉTAIT FRANÇAISE !

Nouvelle-France, nom évocateur qui désigne, au début du XVIIIᵉ siècle, l'immense territoire qui s'étend sur près des deux tiers du Canada actuel et la moitié des États-Unis. Il court jusqu'au pied des Rocheuses et plonge vers le golfe du Mexique, le long du Mississippi. Difficile d'imaginer aujourd'hui ce qu'a représenté à une certaine époque l'Amérique française.

L'aventure de la Nouvelle-France fait partie de ces grandes épopées humaines qui peuvent encore faire rêver aujourd'hui tant elle a été riche en événements. Une aventure faite de courage, de ténacité, d'esprit d'aventures, de tempêtes, d'histoires d'amour, de guerres, de succès et de défaites. Peu de grands films ont donné corps à notre imagination. Nos esprits sont ainsi libres de vagabonder tout à loisir sur ces terres lointaines.

Découvrir la nouvelle route des Indes fut le grand rêve de tous les explorateurs. En 1492, Christophe Colomb effectue, pour le compte de la reine Isabelle d'Espagne, son premier voyage vers le Nouveau Monde qu'il croit être les Indes. C'est ainsi que les habitants deviennent des « Indiens » et le maïs, céréale de base, « blé d'Inde ». Colomb ne peut réaliser la portée de son erreur, puisque plus de cinq cents ans plus tard, le terme *Indien* désigne toujours les différentes populations qui occupent l'Amérique du Nord.

En 1524, le roi de France François Iᵉʳ envoie une première expédition commandée par un capitaine florentin au service de la France, Giovanni Verrazano. Ce grand navigateur explore la côte américaine. Il la longe de la Floride au Cap-Breton et débarque sur l'actuelle Virginie qu'il nomme Francesca en hommage à François Iᵉʳ, puis Nova Francia, Nouvelle-France.

Pendant tout le XVIᵉ siècle, nombreux sont les marins français, qui, six mois par an, au printemps et en été, viennent pêcher la morue et chasser la baleine au large de Terre-Neuve et de l'Acadie. Après la pêche, c'est le commerce lucratif des fourrures, surtout celui du castor, qui va se développer en Nouvelle-France. Cet animal est recherché à l'époque pour la confection des chapeaux de feutre alors très en vogue.

Dix ans plus tard, Jacques Cartier, parti de Saint-Malo, explore le golfe du Saint-Laurent. En juin 1534, il plante une croix dans la baie de Gaspé et, au nom du roi François Iᵉʳ, prend possession des terres. L'année suivante, il va pénétrer au-delà de l'île d'Anticosti, sur le grand fleuve Saint-Laurent. Cartier poursuit sa route jusqu'à Stadaconé et Hochelaga qui deviendront plus tard les villes de Québec et de Montréal.

Henri IV, désireux d'agrandir son royaume, va établir des colonies permanentes dans ces nouveaux territoires. Leur financement est assuré par des fonds privés. Mandaté par le roi à titre de lieutenant général de la Nouvelle-France, un armateur français, Pierre Dugua de Monts, reçoit en 1603 le monopole du commerce des fourrures en échange de quoi, il a l'obligation d'installer des colons et de gagner les Amérindiens à la foi chrétienne. Dans son entreprise de colonisation, il sera accompagné par Samuel de Champlain, marin, explorateur et cartographe.

En 1608, le 3 juillet, Samuel de Champlain installe son « habitation » à Québec, un avant-poste bien placé pour le commerce des fourrures en raison de son accès facile aux voies d'eau navigables à l'intérieur des terres. Le vice-lieutenant a fondé la ville de Québec, premier établissement permanent français au Canada pour le roi Henri IV.

Richelieu crée vingt ans plus tard la Compagnie des Cent-Associés qui a le monopole du commerce des fourrures. À la mort de Champlain en 1635, la colonie ne compte que près de 200 habitants. Comme l'explique si bien Jacques-Yvan Morin, « un développement effectué sous le signe du castor n'est guère propice au peuplement, pas plus d'ailleurs que la pêche saisonnière des Bretons, Normands et Basques dans le golfe du Saint-Laurent. Morue salée et morue séchée exigent un simple pied-à-terre, non un établissement permanent ».

Les Jésuites ou « robes noires » arrivent en Amérique française en 1611, mais sont renvoyés par les Anglais deux ans plus tard. Les Récollets, ordre réformé des Franciscains, arrivent avec Champlain en 1614. Dès leur retour en Nouvelle-France en 1625, les Jésuites songent à fonder un collège. La prise de Québec par les Kirke retarde ce projet. Ce n'est qu'en 1634 qu'ils ouvrent une petite école à Québec, premier collège de garçons en Amérique du Nord.
C'est souvent au péril de leur vie que les Jésuites tentent de porter la foi chrétienne au cœur des communautés autochtones et de propager la civilisation européenne. En dépit de leur alliance avec les Hurons, ils doivent faire face à une forte résistance.

Le roi de France laisse à des compagnies de négoce le soin de peupler et de coloniser la Nouvelle-France en échange d'un monopole de commerce. Les intérêts du commerce des fourrures sont répartis entre les populations locales, et les unions nouées entre négociants européens et femmes indigènes créent des liens de parenté qui facilitent les échanges. Souvent les négociants, heureux de leur nouvelle vie, ne reviennent pas en métropole.

Le commerce des fourrures fut marqué par de terribles guerres. De 1627 à 1701, les Iroquois, partenaires commerciaux des Anglais, attaquent régulièrement les tribus amérindiennes de langue algonquienne : Hurons, Montagnais, Algonquins.

Sous Louis XIV, la Nouvelle-France devient colonie royale et est administrée, telle une province française, avec un gouverneur responsable de l'armée et de la diplomatie, un intendant chargé de l'administration civile, et des propriétaires terriens dits *seigneurs* ayant plusieurs fonctions administratives. L'ensemble est complété par un conseil souverain dont font partie le gouverneur et l'évêque.

C'est en 1665 que deux compagnies du régiment de Carignan-Salières vont embarquer sur le vaisseau *La Paix* en direction de Québec pour rétablir l'ordre. Le régiment est accoutumé au froid et à la neige par ses campagnes dans les Alpes et le Piémont.

Jean Talon, nommé Intendant de la Nouvelle-France en 1665, instaure des politiques matrimoniales et natalistes pour favoriser le peuplement de la colonie. Il organise la venue de jeunes filles dotées par le roi, appelées les *filles du Roy*, huit cent cinquante environ issues d'institutions d'État ou de charité. L'intendant Talon tente d'encourager les Indiens à venir s'établir parmi les Blancs et à s'unir à eux par mariage, à adopter leurs coutumes et leur mode de vie. Son entreprise est un échec. Ce sont les colons qui adoptent le mode de vie des Indiens. Mère Marie de l'Incarnation, mère supérieure des Ursulines de la Nouvelle-France, remarque « qu'un Français devient un Indien plus facilement qu'un Indien devient français ».

À la fin du XVIIᵉ siècle, soit quatre-vingt-dix ans après sa fondation, la colonie ne compte pas plus de cinq mille habitants. En 1672, Louis de Frontenac alors gouverneur de la Nouvelle-France écrit sur Québec : « Rien ne m'a paru si beau et si magnifique que la situation de la ville de Québec qui ne pourrait être mieux postée quand elle devrait devenir un jour la capitale d'un grand Empire. »

Après des années de longues et délicates tractations, la « Grande Paix de Montréal » est signée en 1701 par trente-neuf délégués des nations autochtones et par le représentant du roi de France, le gouverneur Louis-Hector de Callière. Entre Québec et Montréal où se concentrent quatre-vingt-dix pour cent de la population, les seigneuries se succèdent sans interruption le long du fleuve.

Par le traité d'Utrecht, le 11 avril 1713, la France cède à l'Angleterre Terre-Neuve, le territoire de la Baie d'Hudson, l'Acadie. Elle garde l'île du Prince-Édouard et le Cap-Breton.
La défaite française à la bataille des plaines d'Abraham à Québec, le 13 septembre 1759, va être décisive pour l'avenir de la colonie, à la suite de la reddition de Québec aux Anglais. Le général de Montcalm, le vaincu, et le général Wolfe, le vainqueur, sont tués tous les deux au cours de cette bataille. La capitulation de Montréal l'année suivante marque la fin de la Nouvelle-France où sont installés alors 60 000 Français, tandis que la France compte 24,5 millions de sujets.

La signature du traité de Paris le 10 février 1763, par « Sa Majesté très chrétienne » Louis XV et « Sa Majesté britannique » George III, confirme l'abandon de la Nouvelle-France par la France. Après cent cinquante ans d'expansion, l'Empire français n'est plus. La Grande-Bretagne domine presque toute l'Amérique du Nord. Après la Conquête, les autorités françaises et militaires repartent vers la mère patrie, environ cinq pour cent de la population du Canada.

À l'issue de la guerre de la Conquête, les Canadiens français passent sous la domination britannique. La colonie va prendre le nom de *The Province of Quebec*. L'Angleterre tente d'abord d'imposer ses coutumes et sa religion, mais les Canadiens français lui opposent une résistance passive. Ils sont catholiques, et en raison du *Bill of Test*, sont exclus des fonctions administratives. Les Canadiens français souhaitent conserver leur religion, leur langue et leurs coutumes. Sous l'influence de l'Église catholique, structure fondamentale de la société canadienne, ils se voient prêcher la soumission à la Couronne d'Angleterre. En 1774, Londres confirme aux Canadiens français le droit d'être éduqués en français et de pratiquer la religion catholique. Le droit civil notarié relèvera dorénavant des lois civiles françaises.

L'abandon de la Nouvelle-France va être ressenti comme une souffrance, une grande blessure par l'ensemble des habitants de l'ancienne colonie, blessure qui n'est toujours pas refermée. Nos amis québécois n'en sont que plus admirables de leur fidélité à la langue française.

Solange de Loisy
Auteur

OUBEDON {ou bien, contraction de ou bien donc}

Alice PARIZEAU

Écrivaine, journaliste et essayiste, Alice Parizeau est, très jeune, agente de liaison durant la Seconde Guerre mondiale. Prisonnière de guerre en Allemagne, elle est décorée de la croix de guerre à la Libération pour courage face à l'ennemi. Née Alice Poznanska en 1930 en Pologne, ses parents sont tués à la guerre, elle se réfugie en France où elle termine ses études, puis vient au Québec.

Forte personnalité, femme de cœur très attachante, Alice Parizeau est écrivaine, l'auteure de nombreux essais et romans. Chercheuse universitaire, journaliste militante en faveur des droits à la personne, elle écrit dans divers journaux québécois, dont *La Presse*, se donnant beaucoup de mal pour faire triompher les causes.

Alice Poznanska était l'épouse de Jacques Parizeau, économiste, politicien et Premier ministre du Québec de septembre 1994 à janvier 1996.

Entre 1960 et 1990, année de sa mort, Alice Parizeau a publié un grand nombre de romans qui ont le plus souvent sa Pologne natale pour cadre. Elle écrivait avant tout pour témoigner : *Survivre*, *Voyage en Pologne*, *Les lilas fleurissent à Varsovie*, son roman le plus célèbre. Une Pologne qui semble être l'un des moteurs de son écriture afin d'exorciser les souvenirs douloureux.

Alice Parizeau a aimé aussi écrire sur le Québec, son pays d'adoption, comme dans *Côte-des-Neiges*. Selon l'écrivaine, le Québec devait remonter une côte des neiges symbolique pour accomplir son destin. Dans *Blizzard sur le Québec*, Alice Parizeau raconte l'aventure des « hydro-québécois » selon un slogan de l'époque, la nationalisation de l'électricité et la construction des grands barrages, symboles du savoir-faire québécois.
Son dernier ouvrage rédigé quelques mois avant sa mort, *Une femme*, est très émouvant : dernières confidences entremêlées de souvenirs.

Le bataillon Mackenzie-Papineau

« Il faisait beau. De la terrasse du Château Frontenac, Thomas regardait le fleuve comme s'il le voyait pour la première fois de sa vie. Large, majestueux, dans son mouvement lent et à peine perceptible, il reflétait le bleu du ciel et l'immensité de l'horizon [...].
C'est une dame d'un certain âge qui les reçut dans l'antichambre, puis leur ouvrit la lourde porte en chêne qui donnait dans le bureau du Premier ministre. Maurice Duplessis venait déjà à leur rencontre, la main tendue. Il paraissait à Thomas plus jeune et plus affable que sur ses photos, mais quand il reprit place derrière sa table de travail, Thomas osa à peine s'appuyer au dossier du fauteuil sur lequel on lui avait indiqué qu'il pouvait s'asseoir. Avec une aisance et un naturel parfaits, le docteur Leroy amorça la conversation [...].
– Monsieur le Premier ministre, en tant que médecin, j'estime qu'il est de notre devoir de peuple civilisé, d'appuyer cette action humanitaire et apolitique... [...]
– Le Vatican a ses idées, vous, qui êtes libre-penseur, vous avez les vôtres. Je vous connais, je vous respecte et je sais que vous n'êtes pas communiste. Il n'en reste pas moins que je ne peux appuyer votre cause. »

Luc PLAMONDON

Avec son cœur de rockeur, son âme de poète et beaucoup de talent, Luc Plamondon est devenu une star internationale. Producteur et parolier de nombreuses chansons à succès, le chanteur est né en 1942 à Saint-Raymond-de-Portneuf. Après des études de lettres et d'histoire de l'art, c'est en voyant la comédie musicale *Hair* à New York qu'il va décider de sa vocation.

Luc Plamondon a écrit pour Robert Charlebois, Pauline Julien, Diane Dufresne, Fabienne Thibeault, Céline Dion, Barbara, Julien Clerc, Françoise Hardy, Johnny Hallyday, Pétula Clark, et pour beaucoup d'autres chanteurs. Son premier succès s'intitule *Les Chemins d'été*.

En 1976, l'artiste écrit avec le compositeur Michel Berger, l'opéra rock *Starmania* qui connaît un succès sans précédent. Quelques années plus tard, il coécrit le texte de la pièce *Lily Passion* avec Barbara.

La Légende de Jimmy, toujours écrite par Plamondon sur la musique de Berger, est montée à Paris en 1990 et tient l'affiche pendant six mois au théâtre Mogador, puis est reprise l'année suivante au Québec.

L'artiste écrit les compositions de *Dion chante Plamondon*, un album interprété par Céline Dion, intitulé en France *Des mots qui sonnent*. Plus tard, le parolier met en scène la comédie musicale *Notre-Dame de Paris* sur une musique de Richard Cocciante, qui remporte un vif succès au Québec, comme à Paris et à Londres.

Luc Plamondon compose des chansons urbaines, tendres et drôles. Il interroge ses compatriotes et affirme : « La chanson québécoise n'est-elle pas la plus éclatante expression de notre âme collective ? »

Hymne à la beauté du monde

« Ne tuons pas la beauté du monde
Chaque fleur, chaque arbre que l'on tue
Revient nous tuer à son tour

Ne tuons pas la beauté du monde
Ne tuons pas le chant des oiseaux
Ne tuons pas le bleu du jour [...]

Ne tuons pas la beauté du monde
Faisons de la terre un grand jardin
Pour ceux qui viendront après nous
Après nous. »

Paroles de Luc Plamondon, musique de Christian St Roch,
album *Striptease*, 1979 © Barclay.

LE QUÉBEC PRÉCURSEUR DE LA FRANCOPHONIE

L'idée du rassemblement des francophones est très ancienne au Québec. Certes, elle concerna pendant longtemps les francophones du Canada et, pour un temps, ceux installés aux États-Unis, ces diasporas fragiles et fières qui menèrent le dur combat de la survivance sur le continent américain.

Certaines furent épuisées par une lutte inégale, les pouvoirs publics mobilisant la force politique, législative et juridique contre leurs requêtes. D'autres ont survécu, traversé les pires tempêtes et forment toujours des avant-postes à l'Ouest jusqu'au lointain Pacifique. À l'Est, le miracle acadien s'est imposé, aussi magnifique qu'improbable jusqu'à la reconnaissance juridique de la langue française hier encore combattue et, sur l'essentiel du territoire acadien, reconnue aujourd'hui comme langue officielle.

Fervente et décisive, hésitante et malheureuse, la solidarité québécoise a accompagné la lutte de « ces frères », ressenti leur humiliation, partagé leur indignation, applaudi leurs avancées et pleuré leurs échecs. Tous appartenaient alors au Canada français et menaient un même combat. Pour un temps, le Québec se concentra sur son propre combat avant de renouer récemment avec la grande famille des francophones du Canada. L'idée de rassemblement s'impose à nouveau, trop tard disent les uns, indispensable, selon les autres, en tout cas plus ancienne que tous ceux qui l'ont combattu ou fait vivre.

Cette expérience séculaire explique, en partie du moins, le rôle de précurseur du Québec dans la Francophonie internationale, rôle intimement lié à sa position linguistique si minoritaire sur le continent, à sa lutte pour ses droits politiques, ses exigences concernant le statut de la langue française et sa reconnaissance comme nation dans un ensemble qui le perçoit et le limite à une posture minoritaire, fût-elle celle d'une grande ou d'une première minorité.

Dans un contexte minoritaire, l'idée de rassemblement repose naturellement sur le besoin de l'affirmation, besoin incessant et mobilisateur. Du début à la fin, se laisse entrevoir une espérance qui tangue et se redresse mais assure, dans la durée, les conditions du rassemblement.

Ceux qui, à Montréal, au milieu du siècle précédent ont, les premiers, pensé au rassemblement de tous les francophones du monde baignaient dans cette atmosphère propre au Canada français du temps. Ils lui ont normalement emprunté les catégories de l'affirmation et du combat. Ils ont ciblé des domaines susceptibles de conforter cette affirmation, telle l'éducation, susceptibles aussi de soutenir le combat, tels les médias. Enfin, ils ont pensé la communauté à venir dans un ensemble plus vaste qu'elle-même, comme ils avaient l'habitude de penser le Québec dans l'Amérique. Ainsi sont nées successivement la Conférence des ministres de l'Éducation, l'Association des universités partiellement ou entièrement de langue française (l'AUPELF, aujourd'hui l'Agence universitaire de la Francophonie) et la Fédération internationale des journalistes de langue française. Dans les décennies qui suivent, les gouvernements des pays ayant en partage la langue française placeront la Francophonie institutionnelle dans l'histoire.

L'idée du rassemblement de tous les francophones du monde se laissait voir dans le destin du Québec francophone, lui-même insaisissable sans cette détermination à tenir ensemble tous les fragments de la grande famille des parlants français du Canada. Le reste est de l'ordre de la tactique et de la stratégie, de la volonté et de l'action, d'une certaine espérance aussi qui lie les générations et les nations du monde. Certes, le projet francophone est inachevé mais il a grandi superbement depuis qu'à Montréal, mais aussi à Dakar, Tunis et Niamey, il a pris forme dans des esprits capables de produire de la pensée nouvelle et d'imaginer la suite de l'histoire.

Jean-Louis Roy
Secrétaire général de l'Agence intergouvernementale de la Francophonie (1990-1998)

Quatre cents ans...

Lorsque le 3 juillet 1608 Samuel de Champlain décide de prendre position sur les bords du fleuve Saint-Laurent à Kébec (Québec), mot algonquin qui signifie « là où le fleuve rétrécit », les fondements d'une aventure humaine formidable se dessinent ; une aventure aujourd'hui toujours vivante qui s'épanouit à la face du monde.

Quatre cents ans nous séparent de ce commencement inscrit dans nos livres d'histoire. Quatre siècles durant lesquels des milliers de bâtisseurs se sont succédé ; quatre siècles d'une culture riche forgée au rythme des saisons et des grands espaces qui nous inspirent au quotidien ; quatre siècles de développement et d'innovation qui s'entrecroisent et qui font la beauté de notre cité.

Québec est une ville où les contrastes se marient pour le plus grand plaisir des visiteurs et de ceux qui l'habitent à l'année. Lorsque la vieille pierre du XVIIe siècle se conjugue à la modernité, c'est d'abord à travers le regard que s'inscrit l'émotion. Parcourir les quais du Vieux-Port, déambuler sur les rues pavées de Place Royale, gravir les marches du musée de la Civilisation, monter la côte, se retrouver comme par enchantement face au Château Frontenac et à la statue du fondateur, imperturbable devant notre essoufflement, un temps d'arrêt s'impose. Il faut respirer. Ironiquement, certains observateurs s'amuseront à penser que les visiteurs qui grimpent vers la haute ville doivent reprendre leur souffle au pied de celui qui est, en partie, à l'origine de leur présence à Québec. Et ce n'est là qu'une des artères du Vieux-Québec, de la ville intra-muros, site du patrimoine mondial de l'Unesco.

Puis, la terrasse Dufferin s'ouvre sous les pas. Du promontoire, on sent le large des océans à la vue du fleuve Saint-Laurent. Majestueux et grandiose, le panorama annonce tout un continent. Sur cette hauteur, à mi-distance du fleuve et de la Citadelle, un saisissement provient du vertige des commencements. L'ampleur et la résonance de la fondation de Québec prennent des significations autres, celles de l'Amérique des premières nations et des premières vagues d'immigration européenne provenant de France, des îles Britanniques et d'Irlande, suivies de nombreuses autres provenant d'Asie ou des Amériques. Québec est témoin d'un bouillonnement de cultures qui se rencontrent et s'entrechoquent pour offrir aujourd'hui un visage diversifié, moderne et ouvert.

Oui, à travers la beauté de son patrimoine, de son architecture, de ses nombreux attraits touristiques, de la force et de la diversité de son économie, la ville de Québec est aussi un laboratoire culturel des plus animés. Nos artistes, poètes et écrivains contemporains rayonnent aux quatre coins du globe et font écho à notre spécificité culturelle sur le continent et à notre formidable force d'attraction.

Nombre de rues et de lieux évoquent d'ailleurs notre devoir de mémoire pour les grands personnages, qui ont marqué notre évolution. Il suffit de penser à Jacques Cartier, Louis de Frontenac, Jean Talon, Monseigneur de Laval, Marie de l'Incarnation, Catherine de Saint-Augustin, Joseph Morrin ou encore aux Price pour ne nommer que ces quelques figures de proue.

En 2008, Québec a fêté son 400ᵉ anniversaire. L'occasion était magnifique pour célébrer le passé et, bien sûr, regarder l'avenir avec fierté et enthousiasme. Pour tous les citoyens et les visiteurs qui sont venus chez nous, l'année 2008 a été l'occasion de montrer et d'affirmer que Québec s'est construite sur du solide, à l'instar du Cap-Diamant sur lequel elle se dresse fièrement.

Régis Labeaume
Maire de Québec

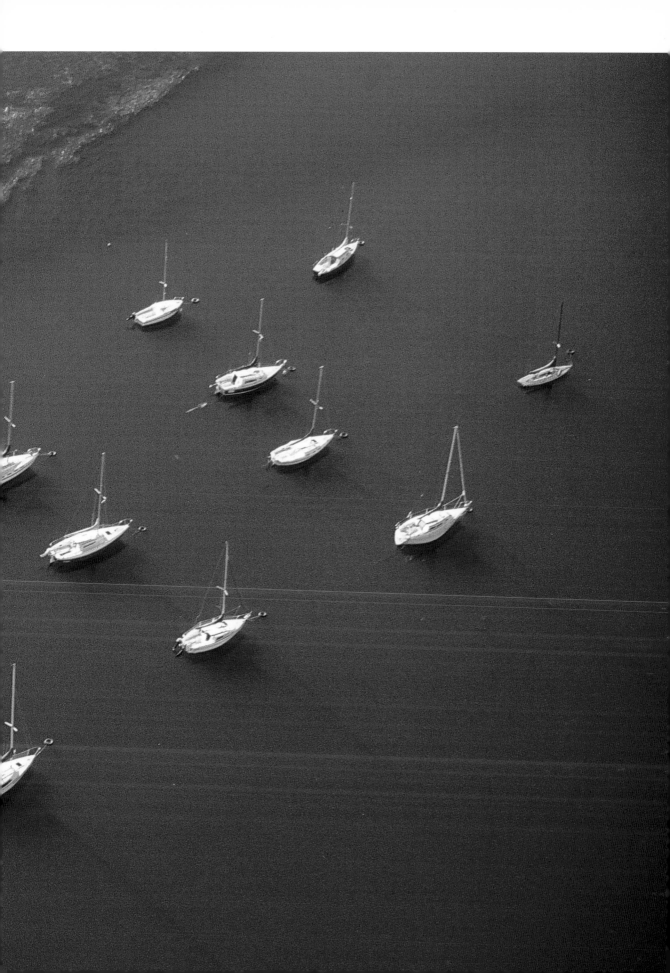

LE QUÉBEC COMME **R**ÉFÉRENCE DANS LA MONDIALISATION

Cela vous surprendra peut-être, mais ma première rencontre avec le Québec fut politique.

Tous mes amis le savent, mon engagement politique initial est né de l'action du général de Gaulle. Dès lors, le discours qu'il prononça, ce 24 juillet 1967 du balcon de l'hôtel de ville de Montréal, et qui créa une forte dynamique à l'affirmation de l'identité québécoise, ne pouvait laisser insensible l'étudiant gaulliste que j'étais à l'époque.

Dans mes différentes fonctions exercées bien plus tard à Paris ou à Compiègne, je serai ensuite amené à rencontrer nombre de décideurs québécois, qu'ils agissent dans les domaines politique, culturel, économique ou financier.

C'est probablement l'une des raisons qui conduira mes collègues à me faire l'honneur de m'élire à la présidence du groupe interparlementaire d'amitié France-Québec, composé de plus de quatre-vingt-dix sénateurs représentant la pluralité des sensibilités politiques ainsi que la diversité des territoires français, lorsque mon collègue du groupe RPR (Rassemblement pour la République), le questeur Lucien Neuwirth, sera amené à quitter ses fonctions en septembre 2001.

Très rapidement après cette élection, mon action sera déterminée par le renforcement des relations bilatérales parlementaires franco-québécoises. Après quelques mois de consultations à Paris, je conduirai une délégation de sénateurs au Québec en septembre 2002[1] avant de m'y rendre ensuite très régulièrement, que ce soit naturellement à Montréal ou à Québec, mais également en régions.

À mon sens, le Québec est présent partout. Cette terre américaine de langue française est une réelle référence dans la mondialisation.

Visage d'une Amérique du Nord tempérée avec de véritables services collectifs, une organisation sociale aboutie et équilibrée entre les partenaires sociaux, le Québec tranche avec le reste du continent.

Le Québec est un modèle dans la mesure où cette nation démontre au monde entier qu'une volonté politique affirmée conduit à transformer la société générale sur le projet de loi de finances, afin d'inciter le gouvernement français à réduire davantage les déficits publics de notre pays. C'est notamment à l'honneur des derniers gouvernements québécois d'avoir réalisé la remise à zéro des déficits des

---

1. À cette occasion, je produisais un rapport de mission intitulé « Québec : le choc des modèles en terre américaine de langue française » (http://www.senat.fr/noticerap/2002/ga43-notice.html).

comptes publics. J'ai d'ailleurs été amené à me référer à cette expérience québécoise du « déficit zéro » dans mon rapport.

Dans un monde globalisé, le Québec montre une belle image de réactivité et de transformation à condition de préserver quelques points d'identité propre. Ce n'est cependant pas une image à idéaliser. À cet égard, la relation franco-québécoise, toujours complexe, a souvent été un miroir de contradictions. C'est d'ailleurs l'erreur que font parfois mes compatriotes en s'expatriant au Québec sans avoir véritablement compris la réalité de cette société américaine de langue française. En revanche, pour les Français qui sont prêts à assumer les réalités américaines, le Québec reste à mon sens une terre d'ouverture idéale pour l'accès aux Amériques.

Lors de mes différents voyages au Québec, j'ai été frappé par la chaleur du peuple québécois, son combat permanent pour notre langue française commune et son souci du pragmatisme dans une société qui a subi de nombreuses mutations depuis les années 60. Comme disent nos frères d'outre-Atlantique, je peux bien vous l'avouer aujourd'hui, je suis « tombé en amour » pour le Québec.

Les Québécois ont prouvé qu'il n'y a pas de contradiction entre les racines et l'ouverture. Ils savent en effet que leur identité particulière, notamment fondée sur cette langue française que nous partageons ensemble avec tant de conviction au sein de la Francophonie, les renforce. Ce n'est pas un hasard si le Québec a été en pointe dans le combat mondial pour la reconnaissance de la diversité culturelle ! Avec une population de 7 millions d'habitants noyée dans un magma anglo-saxon, le Québec n'a d'ailleurs pas le choix. Il en va de la survie de la nation québécoise et de sa spécificité moderne.

Finalement si je devais résumer tout cela en quelques mots, forcément réducteurs, je pourrais dire que d'« archéo-français », les Québécois sont devenus les véritables pionniers de la mondialisation. En cela aussi, ils méritent notre admiration.

Philippe Marini,
Sénateur de l'Oise, maire de Compiègne
Président d'honneur du groupe interparlementaire d'amitié France-Québec

Jean-Paul RIOPELLE

Ses tableaux souvent exposés à Paris m'ont persuadée longtemps que Jean-Paul Riopelle était français.

Après des études d'ingénieur, l'artiste né à Montréal en 1923 devient décorateur puis aquarelliste, peintre et sculpteur de renom. Il commence à peindre dans les années 40, et est l'élève de Paul-Émile Borduas.
Sa première rencontre avec André Breton, le pape du surréalisme, a lieu au Québec. Puis Riopelle séjourne deux ans en France en 1946 où il signe avec André Breton et le groupe surréaliste le tract *Rupture inaugurale*.

Membre du mouvement artistique des Automatistes, Jean-Paul Riopelle est l'un des signataires en 1948 du manifeste *Refus global* de Paul-Émile Borduas. Un an plus tard, il s'installe à Paris où il présente sa première exposition à la galerie du Dragon. Le peintre poursuit sa carrière d'artiste et collabore avec la galerie Maeght où il expose régulièrement ses œuvres.

Après avoir rencontré le succès à Paris et dans le monde entier, Jean-Paul Riopelle revient au Québec fin 1989. Il passe alors plusieurs années à perfectionner la technique du *all-over,* qu'il définit comme une « composition sans hiérarchie entre les éléments et sans point de focalisation, réalisée dans le tableau au moyen d'éclats de peinture en couches multiples ». Technique pratiquée également par l'artiste américain Jackson Pollock. Riopelle s'intéresse aux peintures industrielles qu'il pulvérise à la bombe aérosol.

Son œuvre la plus célèbre est *L'Hommage à Rosa Luxemburg,* créée en 1992 à la mémoire de son ancienne compagne, la peintre américaine Joan Mitchell.
L'artiste est décédé à l'île aux Grues au Québec en 2002.

Sans titre, 1946-1947

« La couleur de l'aquarelle, lumineuse, magnifique, recouvre la feuille de dimension modeste. L'artiste y a tracé une trame discontinue d'encre noire en fin filet ou en aplats. Cette calligraphie élégante et indéchiffrable crée un espace ambigu de deux plans également plats, et réalise une composition *all-over*. Toutes les références au monde extérieur ont disparu. »

Anne Grace
Conservateur de l'art moderne
Musée des beaux-arts de Montréal

Sans titre, 1946-1947
Aquarelle, encre noire, 16 x 23,7 cm
Musée des beaux-arts de Montréal
Don de Jean-Paul Riopelle
photo MBAM, Brian Merrett
© Adagp, Paris, 2010.

Ses romans décrivent avec tendresse des milieux modestes. Romancière, Gabrielle Roy est née en 1909 à Saint-Boniface, au Manitoba. Institutrice pendant près de dix ans, elle séjourne et Paris et à Londres, devient journaliste. Après un second séjour en Europe, elle s'installe définitivement à Québec où elle se consacre à l'écriture jusqu'à la fin de sa vie.

Bonheur d'occasion, prix Femina 1947, est bien plus que l'histoire d'un amour déçu, c'est une fresque sociale d'une grande richesse, où est exprimée la misère des quartiers ouvriers de Montréal au début de la Seconde Guerre mondiale.
Enceinte de Jean qu'elle aime, mais qui ne l'aime pas, Florentine, pour sauver les apparences, épouse Emmanuel qui l'aime mais qu'elle n'aime pas. Traduit en une quinzaine de langues, le livre a été adapté au cinéma par Claude Fournier.

Après *Bonheur d'occasion*, Gabrielle Roy poursuit une œuvre dense, profonde et sensible. Récompensés à maintes reprises, ses ouvrages, tels que *Alexandre Chenevert, Rue Deschambault, Ces enfants de ma vie* ou encore *La Route d'Altamont*, la situent parmi les meilleurs. Ils manifestent sa grande sensibilité aux êtres ainsi qu'aux lieux et aux climats.

L'écrivaine y exprime aussi son tourment de jeune francophone élevée dans une province anglophone : « Cette humiliation de voir quelqu'un se retourner sur moi qui parlais français dans une rue de Winnipeg, je l'ai tant de fois éprouvée au cours de mon enfance que je ne sais plus que c'était de l'humiliation. [...] Nous étions en quelque sorte anglaises dans l'algèbre, la géométrie, la science, dans l'histoire du Canada, mais françaises en histoire du Québec, en littérature de France, et encore plus en histoire sainte », écrit-elle dans *La Détresse et l'Enchantement*, son autobiographie publiée à titre posthume. Gabrielle Roy meurt en 1983 à Québec.

Florentine

« Comment t'appelles-tu ?
fit-il brusquement.
Plus que la question, la manière
de la poser, familière, gouailleuse,
presque insolente, irrita la jeune fille.
– C'te question ! fit-elle avec mépris,
mais non d'une façon définitive,
comme si elle eût tenté de lui imposer
silence. Au contraire, sa voix invitait
à une réplique.
– Voyons, reprit le jeune homme
en souriant. Moi, c'est Jean... Jean
Lévesque. Et toi, je sais toujours bien
pour commencer que c'est Florentine...
Florentine par-ci, Florentine par-là...
Oh Florentine est de mauvaise humeur
aujourd'hui ; pas moyen de la faire
sourire !... Oui, je sais ton petit nom,
je le trouve même à mon goût...
Il changea imperceptiblement de ton,
durcit un peu son regard.
– Mais tu es mademoiselle qui ?
Tu me le diras pas à moi ? insista-t-il
avec une feinte de sérieux. »

Gabrielle Roy, *Bonheur d'occasion*,
© Flammarion, 1947.

TOUTOUNE {femme rondelette, petite et opulente}

Michel TREMBLAY

Par l'originalité de son style, sa langue vivante et colorée, son immense talent qui sait transformer l'ordinaire en sublime, Michel Tremblay est aujourd'hui reconnu comme l'un des grands auteurs de notre temps.

Né à Montréal en 1942, Michel Tremblay est auteur dramatique, romancier, traducteur et scénariste. L'écrivain profite de la « Révolution tranquille » que connaît le Québec dans les années 70 pour créer une nouvelle forme de dramaturgie basée sur le nationalisme québécois.

En 1968 Michel Tremblay publie *Les Belles Sœurs*, pièce écrite en « joual », langue populaire québécoise. L'auteur met en scène quinze femmes réunies dans la cuisine de Germaine Lauzon pour coller dans des livrets le million de timbres-prime qu'elle vient de gagner. Pour la première fois, Michel Tremblay donne la parole à des gens ordinaires qui jusqu'alors n'ont jamais pu s'exprimer. Sa pièce déclenche une immense polémique. Dès cette époque, Michel Tremblay va jouer un rôle primordial au sein de la littérature québécoise. Il va défier la domination et la censure du clergé dans la vie intellectuelle, prôner la place des femmes dans la société et inscrire dans l'universel la notion d'identité, qu'elle soit culturelle ou sexuelle.

Dans les années 80, Tremblay publie les *Chroniques du Plateau Mont-Royal*, une série de six romans : *La grosse femme d'à côté est enceinte*, *Thérèse et Pierrette à l'école des Saints-Anges*, *La Duchesse et le Roturier*, *Des nouvelles d'Édouard*, *Le Premier Quartier de lune*, *Un objet de beauté*, chroniques dans lesquelles le romancier évoque la petite histoire des années 40.

L'écriture prolifique de Michel Tremblay a donné naissance à une œuvre de près de soixante titres traduits en trente-cinq langues. Avec *La Traversée du continent* et *La Traversée de la ville*, ses derniers romans, Michel Tremblay revisite son histoire familiale en la réinventant pour le plus grand plaisir des lecteurs.

Une maudite vie plate !

« LES CINQ FEMMES (*ensemble*)
– Quintette : une maudite vie plate ! lundi !

LISETTE DE COURVAL
– Dès que le soleil a commencé à caresser de ses rayons les petites fleurs dans les champs et que les petits oiseaux ont ouvert leurs petits becs pour lancer vers le ciel leurs petits cris...

LES QUATRE AUTRES
– Je me lève, pis j'prépare le déjeuner ! Des toasts, du café, du bacon, des œufs, j'ai d'la misère que l'yable à réveiller mon monde. Les enfants partent pour l'école, mon mari s'en va travailler.

MARIE-ANGE BROUILLETTE
– Pas le mien, y'est chômeur. Y reste couché.

LES CINQ FEMMES
– Là, là, j'travaille comme une enragée, jusqu'à midi. J'lave. Les robes, les jupes, les bas, les chandails, les pantalons, les canneçons, les brassières, tout y passe ! Pis frotte, pis tord, pis refrotte, pis rince... C'técœurant, j'ai les mains rouges, j't'écœurée. J'sacre. À midi, les enfants reviennent. Ça mange comme des cochons, ça revire la maison à l'envers, pis ça repart ! L'après-midi, j'étends. Ça c'est mortel ! J'hais ça comme une bonne ! Après, j'prépare le souper. Le monde reviennent, y'ont l'air bête, on se chicane ! Pis le soir, on regarde la télévision ! Mardi ! »

Michel Tremblay, *Les Belles-Sœurs*,
© Leméac Éditeur, 1972.

Sylvain TRUDEL

Philosophe de la vie, poète des temps modernes, Sylvain Trudel est un romancier né à Montréal en 1963. Diplômé en sciences pures et en cinéma, il se consacre entièrement à l'écriture depuis 1985.

La publication du *Souffle de l'Harmattan*, son premier roman, lui vaut de nombreux prix. L'ouvrage est drôle, pathétique et cruel.

En 1994, Sylvain Trudel est à l'honneur pour son recueil de nouvelles *Les Prophètes*. « Rien n'est blanc ou noir dans l'œuvre de Sylvain Trudel, même si on a parfois l'impression que les forces du bien et du mal s'y affrontent. Les nouvelles des *Prophètes*, à l'instar des romans qui les ont précédés, échappent aux analyses réductrices. Toujours ce qui frappe ici, c'est l'incroyable liberté d'interprétation laissée au lecteur, comme si l'auteur ne voulait rien imposer », écrit Raymond Bertin dans *Le Devoir*.

Sylvain Trudel a également signé huit romans pour la jeunesse. Récompensé en France pour *Le Monsieur qui se prenait pour l'hiver*, il a aussi reçu des prix pour *Le Grenier de Monsieur Basile*, *Les Dimanches de Julie*, *Le Roi qui venait du bout du monde*.

Avec intelligence et subtilité, Sylvain Trudel n'hésite pas, dans ses romans pour la jeunesse, à aborder des sujets difficiles comme la maladie et la compassion, mais aussi l'amour, les rencontres, les plaisirs de la vie, l'étrangeté et la grâce de l'enfance.

Avec son roman *Du mercure sous la langue*, Sylvain Trudel nous entraîne dans un univers d'angoisse, mais plein d'amour et de générosité. Sous le pseudonyme de « poète Métastase », il se servira de sa mort pour apprendre la vie à ses proches.

Plus belle que le jour !

« Le soir venu, vêtu de mon plus beau pyjama rayé, et joliment chaussé de mes pantoufles jaunes en Phentex tricotées par ma grand-mère Langlois, je me suis rendu à mon rendez-vous en limousine, où j'ai bien vu que Marilou est à mon goût, qu'elle n'est pas *belle comme le jour*, mais mille fois plus belle que lui, et que si le jour était une feuille, Marilou serait un millefeuille. Elle est tellement belle que le pauvre petit jour ne lui arrive pas à la cheville. Toute beauté est un blasphème, paraît-il, enfin c'est ce que racontent les hommes qui détestent la vie, alors il faut blasphémer comme des damnés, du fond de la terre jusqu'au sommet des cieux, et je blasphème à en perdre haleine, à en perdre la vue aux pieds de Marilou, ô ma p'tite Rilou qui ressemble à une Sauvagesse avec ses pommettes mongoles, ses yeux sombres en avelines et ses longs cheveux si noirs qu'ils virent au bleu nuit dans la lumière… »

Sylvain Trudel, *Du mercure sous la langue,*

VADROUILLE {balai à franges}

VIDANGEUR {éboueur}

Sans doute l'artiste le plus représentatif de l'époque des chansonniers et l'un des créateurs les plus importants de l'histoire de la chanson québécoise. Gilles Vigneault, né en 1928 à Natashquan, petit village de la Côte-Nord du Québec, est poète et auteur-compositeur-interprète.

Parallèlement à sa carrière de chanteur, Il publie une vingtaine de recueils de poèmes et de contes. Ses toutes premières chansons, *Jack Monoloy, La Danse à Saint-Dilon, J'ai pour toi un lac,* qu'il chante à Québec en 1960, rencontrent un succès immédiat. Il va en écrire des centaines d'autres qu'il interprète aux quatre coins de la Francophonie.

Outre les chansons sur l'identité nationale, il va ressusciter des figures épiques telles que *Jos Hébert, Caillou Lapierre,* mais aussi des personnages d'une grande discrétion, *Gros Pierre, Mademoiselle Émilie.* Il propose également une réflexion sur le temps et l'espace : *Maintenant, Le Voyageur sédentaire.* Quand il dépeint de simples gens côtoyés dans son village natal, Vigneault sait atteindre l'universel. À ce jour, le chanteur a créé près de 400 chansons, enregistré plus de 60 albums. Il s'est produit sur presque toutes les scènes du Québec et a donné une multitude de spectacles en France et en Europe.

Ardent défenseur de la cause de la souveraineté du Québec, homme de scène inimitable, Gilles Vigneault a écrit des titres inoubliables comme *Les Gens de mon pays, Tam ti delam, Le Doux Chagrin, Tout l'monde est malheureux.* En près de cinquante ans, le grand artiste a créé une œuvre immense.

Les gens de mon pays

« Les gens de mon pays
Ce sont des gens de paroles
Et gens de causerie
Qui parlent pour s'entendre
Et parlent pour parler
Il faut les écouter
C'est parfois vérité
Et c'est parfois mensonge
Mais la plupart du temps
C'est le bonheur qui dit
Comme il faudra de temps
Pour saisir le bonheur
À travers la misère
Émaillée au plaisir
Tant d'en rêver tout haut
Que d'en parler à l'aise. »

Gilles Vigneault, *Les gens de mon pays,*
paroles et musique de Gilles Vigneault
Éditions Le Vent qui vire, 1965, tiré du recueil *Les gens de mon pays,*
© Éditions de L'Archipel, 2005.

Yolande VILLEMAIRE

Romancière et poète, Yolande Villemaire est née dans la région de Montréal en 1949. Elle est l'auteure de dix recueils de poésie.

Publié en 1980, *La Vie en prose* est considéré comme l'un des romans les plus originaux de la littérature québécoise. « La volonté de faire circuler la réalité dans la fiction et la fiction dans la réalité amène l'auteur à explorer les vies antérieures, les phénomènes de télépathie, les "coïncidences terrestres" et surtout ce côté hiéroglyphe de ce qu'on appelle le réel », selon Gaston Miron et Lise Gauvin.

Parmi les recueils de poésie de Yolande Villemaire, retenons *Quartz et mica*, et *La Lune indienne* qu'elle a écrit après avoir passé un an dans un ashram en Inde.

C'est à Paris en 1994 que l'auteure va écrire des textes d'une grande sensibilité : *Céleste tristesse*. Dans le chapitre *Les Secrets productifs*, elle propose une réflexion sur la possibilité qui est offerte à chacun, s'il le veut, de grandir, d'avoir cette volonté de « dissoudre et dissoudre encore avant de coaguler [sa] souffrance ». Cet engagement est présenté comme un outil de transformation unique qui donne l'impulsion d'être « un cœur qui bat dans sa prison de chair [...] un cœur qui s'ouvre, qui s'ouvre jusqu'à l'infini » et ainsi, de pouvoir changer sa vie, écrit Yolande Villemaire dans le chapitre *L'Âme de l'univers*.

Une rétrospective de ses poèmes intitulée *D'ambre et d'ombre* est parue en 2000, œuvre poétique qui a été traduite en plusieurs langues. Yolande Villemaire a reçu de nombreux prix tout au long de sa carrière tant pour ses romans que pour ses poèmes.

Le traité de Paris

« Les reines en robes de pierre du Luxembourg murmurent sur mon passage, tandis que je marche sous le beau ciel gris d'Île-de-France. Certaines d'entre elles savent que je viens de cette ancienne colonie abandonnée en 1763, et elles le racontent aux autres. Leurs chuchotements discrets me font sourire : s'imaginent-elles que personne n'entend les statues ?

Voilà. La Nouvelle-France n'est plus depuis des siècles et je me souviens de la détresse d'une enfant de quinze ans en uniforme de collégienne. La religieuse qui enseigne l'histoire explique que la France a, par le traité de Paris, cédé à l'Angleterre sa colonie du Canada et qu'il ne faudra jamais l'oublier.

Nous n'avons jamais eu le loisir de nous rebeller contre la mère patrie et notre âme, à jamais, se languit d'une *doulce* France maternelle qui chanterait, dans notre langue, des berceuses aux enfants sauvages que nous sommes devenus. Nous n'avons pas besoin d'avoir toujours recours au langage et c'est un avantage de pouvoir entendre les statues, mais dites-moi, reines de France qui bavardez dans mon dos, ne comprenez-vous pas la céleste tristesse de vos arrière-petits-enfants d'Amérique ? »

Yolande Villemaire, *Céleste tristesse,*
© Écrits des Forges (Trois-Rivières), 2006.

{QUELQUES REPÈRES}

8000 av. J.-C. Arrivée des premières peuplades autochtones sur le territoire actuel du Québec.

Vers 1390 Fondation de la Confédération iroquoise qui unit les cinq nations iroquoises : Mohawks, Sénécas, Onondayas, Coyugas, Oneidas.

1534 Jacques Cartier débarque à Gaspé sur la pointe Est du Québec. Il prend possession pour le roi de France de ce territoire qu'il nomme Canada.

1608 3 juillet. Samuel de Champlain fonde sur le site de Kébec la ville de Québec.

1615 Arrivée avec Champlain des Récollets, ordre religieux de Franciscains réformés.

1625 Arrivée des Jésuites. Les *Relations des Jésuites* vont raconter en détail la vie en Nouvelle-France, une vraie mine de renseignements.

1627 Richelieu crée la Compagnie des Cent-Associés dotée du monopole du commerce des fourrures.

1633 Champlain est à nouveau lieutenant en Nouvelle-France où il va effectuer son douzième et dernier voyage.

1634 Fondation de la ville de Trois-Rivières par Laviolette.

1635 Mort de Champlain. La colonie compte alors près de deux cents habitants.

1639 Arrivée des Ursulines pour l'enseignement des jeunes Françaises et des Indiennes. Arrivée des Augustines qui fondent l'hôpital de l'Hôtel-Dieu de Québec.

1642 Paul de Chomedey de Maisonneuve fonde Ville-Marie, future Montréal.

1653 Jeanne Mance et Marguerite Bourgeoys mettent sur pied la première école de filles de la Nouvelle-France.

1663 Sous Louis XIV, la Nouvelle-France devient colonie royale. Monseigneur François de Laval Montmorency fonde le séminaire de Québec.

1665 Deux compagnies du régiment de Carignan-Salières embarquent en direction de Québec, ils viennent de Savoie et sont donc aguerris au froid.

1665 Jean Talon, nommé Intendant de la Nouvelle-France, instaure des politiques matrimoniales et natalistes et organise la venue de jeunes filles dotées par le Roi, les *filles du Roy*. Huit cent cinquante orphelines environ, issues d'institutions d'État ou d'institutions de charité.

1672 Premier gouvernement du comte Louis de Frontenac. C'est à cette époque que Louis Jolliet, originaire de Montréal, découvre le Mississippi.

1689 Deuxième gouvernement du comte Louis de Frontenac. Il fait entreprendre des travaux de fortifications à Québec et à Montréal.

1701 Après des années de longues et délicates tractations, la Grande Paix de Montréal est signée par trente-neuf délégués des nations autochtones et Louis-Hector de Callière, gouverneur de la Nouvelle-France.

1713 Traité d'Utrecht. La France cède à l'Angleterre Terre-Neuve, le territoire de la Baie d'Hudson, l'Acadie, sauf l'île du Prince-Édouard et le Cap-Breton.

1717 La vogue des fourrures ralentit, elle est remplacée par l'exploitation des forêts. Dix scieries sont en opération en 1717, cinquante-deux en 1754.

1735 Une première route relie Québec à Montréal, le *Chemin du Roy*. Les Anglais harcèlent la colonie française.

1755 Déportation par l'armée anglaise des Acadiens vers les colonies britanniques et l'Europe entre 1755 et 1763. L'Acadie prendra plus tard le nom de Nouvelle-Écosse.

1759 13 septembre. Défaite française à la bataille des plaines d'Abraham à Québec. Reddition de Québec aux Anglais. Le général de Montcalm et le général Wolfe sont tués au cours de la bataille.

1760 Capitulation de Montréal. Fin de la Nouvelle-France.

1763 Signature du traité de Paris : la Nouvelle-France est cédée à l'Angleterre. Elle devient la Colonie anglaise du Canada ou *Province of Quebec*, quinzième colonie britannique d'Amérique du Nord. La *Province of Quebec* disparaît en 1791. Une nouvelle Province de Québec réapparaît en 1867.

1770 Début de la guerre d'Indépendance américaine. Deux régiments de Canadiens français s'engagent aux côtés des Américains.

1779 À la demande de La Fayette, la France vient soutenir les Insurgés. Deux ans plus tard, la bataille de Yorktown assure la victoire des Américains.

1783 Le traité de Versailles reconnaît l'indépendance des treize colonies nommées alors États-Unis.

1791 L'Acte constitutionnel établit dans la province un système parlementaire inspiré du régime britannique.

1792   Premières élections dans l'histoire du Québec. Un tiers des élus est alors anglophone.

1793   21 janvier. Premier débat à la Chambre de Québec. Il porte sur la question de la langue des débats.

1812   La guerre éclate entre les États-Unis et la Grande-Bretagne. Les Canadiens francophones combattent aux côtés de leur nouvelle patrie.

1837   Louis-Joseph Papineau fonde le parti des Patriotes et en prend la direction. Il lutte pour la défense des droits du nationalisme canadien face au gouvernement britannique. Il est l'instigateur d'une rébellion dans les deux provinces du Haut et du Bas Canada, matée de façon très violente par le pouvoir anglais.

1838   Échec du parti des Patriotes.

1840   Acte d'Union : le Canada est gouverné par l'Angleterre. Un seul gouvernement est installé à Ottawa pour les deux colonies. Afin de se distinguer des anglophones, les francophones commencent à se dénommer Canadiens français. L'anglais est proclamé seule langue officielle.

1854   Abolition du régime seigneurial qui a marqué le paysage québécois depuis le début du XVIIᵉ siècle.

1867   L'Acte de l'Amérique du Nord britannique organise les colonies en une Fédération de quatre provinces : Québec, Ontario, Nouvelle-Écosse et Nouveau-Brunswick. Naissance de la Confédération canadienne. Le Bas Canada devient *The Province of Quebec*.

1914   Les Canadiens francophones et anglophones participent à la Première Guerre mondiale aux côtés de la Grande-Bretagne.

1936   Triomphe de l'Union nationale fondée par Maurice Duplessis, conservateur, nationaliste et fédéraliste.

1948   *Refus global* : le manifeste du mouvement des Automatistes. Ils prônent une peinture gestuelle libérée, le retour à la sensation brute et à l'intuition immédiate. Le Québec adopte son drapeau blanc et bleu fleurdelisé.

1960   Début de la Révolution tranquille sous l'impulsion du Premier ministre Jean Lesage du Parti libéral. Émergence de l'identité québécoise.

1961   Création de l'Office de la langue française.

1967   Exposition universelle de Montréal. Visite du général de Gaulle. Au balcon de l'hôtel de ville de Montréal, le général va prononcer ces mots désormais célèbres : « Vive le Québec libre. »

1968   Le Parti québécois indépendantiste vient s'interférer entre le Parti libéral et l'Union nationale qui s'affrontent depuis trente-cinq ans. Les députés, au nombre de cent vingt-cinq, sont élus pour cinq ans au suffrage universel à un tour. Le chef du parti qui emporte la majorité

forme le gouvernement et devient Premier ministre de la Province.

1974   Loi sur la langue officielle du Québec, dite Loi 22. Elle introduit une priorité au français. Avant cette date, le Québec pratiquait le bilinguisme anglais-français au niveau institutionnel.

1976   Jeux olympiques d'été de Montréal.

1977   La Loi 101, communément appelée Charte de la langue française, est adoptée. La langue française est déclarée seule langue officielle de l'État québécois.

1980   Référendum sur la souveraineté-association : 58 % des Québécois votent non.

1982   L'acte de Constitution prévoit la création d'une nouvelle Constitution canadienne. Le Québec est la seule province canadienne à ne pas la signer.

1985   Le Vieux-Québec devient le premier centre urbain nord-américain à être inscrit au Patrimoine mondial de l'Unesco.

1987   Accord du lac Meech : le Québec pose cinq conditions pour adhérer à la Constitution de 1982.

1988   La région de Nunavik à l'extrême nord est reconnue par le gouvernement provincial comme pays des Inuits du Québec.

1989   Signature de l'Accord de libre-échange (ALE) entre le Canada et les États-Unis.

1990   L'échec de l'Accord du lac Meech confirme l'exclusion du Québec de la Constitution de 1982.

1993   Signature de l'Accord de libre-échange nord-américain (ALENA). Il est étendu au Mexique.

1995   Référendum sur l'indépendance du Québec. Le non l'emporte avec 1 % d'écart par rapport au oui.

1998   Une tempête de verglas exceptionnelle s'abat sur le Québec, endommage le réseau hydroélectrique et prive d'électricité des millions de personnes.

2000   Montréal devient le siège de la première filiale du NASDAQ, la Bourse américaine des valeurs technologiques.

2002   Signature de la Paix des Braves, une entente historique entre le gouvernement du Québec et la Nation Crie.

2004   400ᵉ anniversaire du débarquement de Samuel de Champlain sur l'île Sainte-Croix en 1604.

2008   400ᵉ anniversaire de la fondation de la ville de Québec par Samuel de Champlain.

VOYONS DONC ! {je ne te crois pas!}

{QUI SONT-ILS ?}

Marguerite Bourgeoys (1620-1700)

Religieuse française née à Troyes. Elle ouvre la première école de Montréal et fonde la congrégation de Notre-Dame, destinée à l'instruction des jeunes filles. Elle meurt à Montréal. Elle a été canonisée en 1983.

Louis de Buade de Frontenac (1620-1698)

Gouverneur général de la Nouvelle-France de 1672 à 1682 puis de 1689 à 1698. En 1690, il fait échouer la tentative de l'amiral anglais Phips de prendre Québec. Il défend la colonie contre les Anglais et les Iroquois et meurt à Québec.

Louis-Hector de Callière (1648-1700)

Né en Normandie, et mort à Québec. Gouverneur de Montréal en 1684, puis de la Nouvelle-France de 1698 à 1703. Il signe en 1701 un traité de réconciliation avec les Iroquois.

Jacques Cartier (1491-1557)

Explorateur, navigateur et commerçant. Né à Saint-Malo, il découvre le Canada en 1534 au nom de François Ier, d'abord le golfe du Saint-Laurent, puis il remonte le cours du fleuve jusqu'à Hochelaga, future Ville-Marie puis Montréal.

Robert Cavelier de la Salle (1643-1687)

Né à Rouen, découvre l'embouchure du Mississippi en 1682 et nomme ce territoire Louisiane en l'honneur de Louis XIV.

Samuel de Champlain (1570-1635)

Explorateur, cartographe, soldat et navigateur. Né à Brouage en Charente-Maritime et mort à Québec. Il crée la ville de Québec en 1608. Après 1620, il abandonne les explorations et se consacre à l'administration de Québec.

Paul de Chomedey, sieur de Maisonneuve (1612-1676)

Gentilhomme champenois chargé de créer dans l'île de Montréal un établissement sous le patronage de la Vierge. Il fait construire les premières maisons d'un bourg, Ville-Marie, qui résiste aux Iroquois et deviendra Montréal.

Les frères Kirke (1597-1654)

David Kirke l'aîné, Anglais né à Dieppe, décédé près de Londres. Chargé par le roi d'Angleterre d'évincer les Français du Canada, avec ses frères Lewis, Thomas, John et James.

Louis-Hippolyte La Fontaine (1807-1864)

Avocat, homme politique canadien-français conservateur, il forme avec Robert Baldwin le premier ministère du Canada Uni.

Marie-Madeleine de La Peltrie (1603-1671)

Née à Alençon, décédée à Québec. Contrainte d'épouser le Chevalier de La Peltrie, elle est veuve à 22 ans, sa fille meurt au berceau. Elle s'embarque pour Québec en 1639 et devient la bienfaitrice du couvent des Ursulines.

Paul Le Jeune (1591-1664)

Supérieur des Jésuites de 1632 à 1639. Premier rédacteur des *Relations des Jésuites de la Nouvelle-France*. Il lance vraiment l'œuvre missionnaire en Nouvelle-France.

Pierre Le Moyne d'Iberville (1661-1706)

Officier, explorateur et colonisateur. Né à Ville-Marie, il combat les Anglais de la baie d'Hudson à Terre-Neuve.

Laviolette (? -1660)

Explorateur français au prénom inconnu. Fondateur de la ville de Trois-Rivières.

Jean-Marc Léger (1929-)

Écrivain et journaliste québécois né à Montréal. Premier directeur de l'Office de la langue française du Québec et premier secrétaire de l'Association des universités partiellement ou entièrement de langue française (AUPELF) fondée en 1961.

Jean Lesage (1912-1980)

Premier ministre du Québec de 1960 à 1966, se distingue par un mouvement de réformes spectaculaires. Il est considéré comme le père de la Révolution tranquille qui fit du Québec un État moderne.

René Lévesque (1922-1987)

Né en Gaspésie, journaliste, membre du parti libéral, plusieurs fois ministre. Il fonde en 1968 le Parti québécois (PQ). Après la victoire du Parti québécois en 1976, il devient Premier ministre du Québec. Il démissionne en 1985 et meurt à l'île des Sœurs.

Jeanne Mance (1606-1673)

Née à Langres en Champagne, elle fonde en 1643 l'Hôtel-Dieu de Montréal, le premier hôpital du Canada.

Le père Jacques Marquette (1637-1675)

Jésuite français. Né à Langres, il parle plus de six langues indiennes. Il va découvrir le Mississippi avec Louis Jolliet.

Louis Joseph, Marquis de Montcalm (1712-1759)

Né dans le Gard, mort à Québec. Général français, il arrive à Québec en 1756. Lors du siège de Québec en 1759, Montcalm engage le combat contre Wolfe aux plaines d'Abraham, sans attendre les renforts de Vaudreuil et de Bougainville. Erreur qui lui sera mortelle.

Monseigneur de Montmorency Laval (1623-1708)

Né à Montigny-sur-Avre en Normandie. Son arrivée en 1659 illustre un tournant décisif dans l'évolution de l'Église canadienne. Il crée les séminaires, les paroisses et l'établissement des congrégations. Premier évêque de la Nouvelle-France, il siège à Québec où il meurt en 1708.

Joseph Morrin (1794-1861)

Médecin d'origine écossaise, maire de la ville de Québec de 1855 à 1858.

Jean Nicollet (1598-1642)

Né à Cherbourg. Il se rend en Nouvelle-France à 20 ans, apprend les langues amérindiennes. Intermédiaire privilégié entre les colons et les Amérindiens, il meurt à Québec.

Louis Joseph Papineau (1786-1871)

Né à Montréal et mort à Montebello. Homme politique puis président de l'Assemblée, promoteur du nationalisme canadien. Il joue un rôle essentiel dans la rébellion de 1837.

John Herbert et Arthur Clifford Price

Nouveaux dirigeants de la Price Brothers & Company. Ils font construire en 1930 leur nouveau siège social, un immeuble de dix-huit étages situé à Québec à l'intérieur des murs de la ville, un des plus vieux gratte-ciel du Canada.

Pierre-Esprit Radisson (1640-1710)

Explorateur français, aventurier et trafiquant de fourrures. Enlevé par les Iroquois vers 1650, il apprend leur langue, s'évade puis se met au service des Anglais. Il contribue à la création de la Compagnie de la Baie d'Hudson en 1670.

Catherine de Saint-Augustin (1632-1668)

Née dans la Manche. Attirée très jeune par la vie religieuse, elle est accueillie en Nouvelle-France par les Augustines. Elle sera directrice et maîtresse des novices de l'Hôtel-Dieu de Québec fondé en 1639.

Jean Talon (1626-1694)

Né à Chalons-en-Champagne. Il est le plus célèbre Intendant de la Nouvelle-France, de 1665 à 1668 puis de 1670 à 1672. Remarquable administrateur choisi par Colbert.
Ses réalisations essentielles concernent l'agriculture, et la mise en place d'un système social d'allocations au mariage et à la famille, trois cents ans avant la Sécurité sociale.

Giovanni Verrazano (1485-1528)

Navigateur florentin avant Jacques Cartier. Grâce à l'appui des banquiers italiens installés à Lyon, il longe toutes les côtes américaines pour le compte de François Ier.

James Wolfe (1727-1759)

En 1758, ce général anglais prend Louisbourg sur l'île du Cap-Breton dans la province de la Nouvelle-Écosse. Il continue sa campagne et met le siège devant Québec en 1759. Le 13 septembre de cette même année, son armée l'emporte aux plaines d'Abraham à Québec sur l'armée de Montcalm. Wolfe y trouve la mort. Sa victoire précipite la chute de la Nouvelle-France.

{LÉGENDES}

Rivière des Outaouais,
cabane de pêche
sur la glace.

Saint-Laurent,
rive sud, cormorans
de Charlevoix.

Tempête de glace,
rive sud
de Montréal.

Nunavik, caribous
sur la banquise.

Montréal, entre
Rivière-des-Prairies
et boulevard Gouin.

Baie et soleil
du Nord.

Montréal, patinoire
du parc Lafontaine.

Kangirsujuak,
campement inuit
d'Itivia.

Montréal, pont
Champlain, lever de soleil
sur le Saint-Laurent.

Baleine dans le
Saint-Laurent, face
à Rivière-du-Loup.

Laurentides,
skidoo sur rivière
gelée.

Montréal, Vieux-Port,
sculptures de glace
au Festival d'hiver.

Rive sud
du Saint-Laurent.

Escalier du Plateau
Mont-Royal
à Montréal.

Wapiti dans la toundra
au Nunavik.

Outremont,
couleurs d'automne.

Natasquan,
Côte-Nord,
cabanes de pêcheurs.

Nunavik,
baie de Kangirsunga
et détroit d'Hudson.

Les perches chinoises
de Saltimbanco(© Franck
Crusiaux/Gamma/Eyedea).

Kuujjuarapik,
Grande rivière de la
Baleine, traversée
de caribous.

Saint-Laurent,
bélugas (petites
baleines blanches).

Québec,
pêche aux chutes
de la Chaudière.

Rivière des Outaouais,
cabanes de pêcheurs
sur la glace.

Un orignal,
l'élan d'Amérique.

Kangirsujuack,
Maata, une jeune
femme inuit.

Archipel de Montréal,
les îles de Boucherville.

Cantons de l'Est.

Bromont,
Cantons de l'Est.

Le Québec : un million
de lacs et rivières !

Lac Sacacomie.

Fjord du Saguenay.

Laurentides,
lever du jour
sur le lac Ouimet.

Nunavik,
paysage de taïga
et baie d'Hudson.

Saint-Laurent,
rapides de Lachine.

Rivière-au-Tonnerre,
empreintes glacières
sur la Côte-Nord.

Saint-Grégoire
face à Trois-Rivières.

Île de Montréal,
Westmount.

Lac Saint-Jean,
ours brun.

Saint-Laurent,
Côte-Nord.

Montréal,
plateau Mont-Royal.

Laurentides, attelage
de chiens sur le lac.

Laurentides,
lac du Mont-Tremblant.

Saint-Laurent,
marina de Boucherville.

Rivière-du-Loup,
maisons sur pilotis
le long du fleuve.

Archipel de Mingan,
Côte-Nord.

Mont Tremblant,
Laurentides, ville
nouvelle créée
par Intrawest.

Brossard,
banlieue sud
de Montréal.

Nunavik,
Petite rivière
de la Baleine.

Chute
Montmorency.

Île de Montréal,
automne à Westmount.

Saint-Félicien,
cabane de rondins
et raquettes.

Baie de Wakeham
au Nunavik.

Saint-Laurent,
plaisance et montagne
de Charlevoix.

{REMERCIEMENTS}

Je remercie très chaleureusement les personnalités tant françaises que québécoises qui ont bien voulu apporter leur témoignage dans cet album : Jean-Marie Bockel, Michel Drucker, Bernard de Fallois, Stélio Farandjis, Claude Fournier, Régis Labeaume, Marie Laberge, Bernard Landry, Monique F. Leroux, Michel Lucas, Philippe Marini, Jacques-Yvan Morin, Anne Grace, Jean-Pierre Raffarin, Nicolas Rioux et Jean-Louis Roy.

Je remercie Jacques Allard, Roselyne de Ayala, Catherine de Bourgoing, Claude Charron, Domitille Doat, Roger et Roselyne Dosse, Orietta Doucet-Mugnier, Clément Duhaime, Jean-Louis Festjens, Gilles Foucher, Dominique Frélaut, Monique Helfenberger, Geneviève Deschamps, Sylvie Groulx, Jean Huet, Catherine Laroze, le père Philippe Lécrivain, Sylvain Neault, Jacques et Brigitte Ostier, Denis Picard, John Pietri, Gilbert Pilleul, Jean-Philippe Raiche, Marie-José Raymond, Henri Rhéthoré, Josselin de Rohan, Hélène de Saint-Hippolyte, Catherine Toesca, Jean-Pierre Vettovaglia et Thierry Viellard pour leurs compétences et leurs précieux conseils. Que tous ceux qui de près ou de loin m'ont apporté leur concours sachent que je leur garde toute ma reconnaissance.

Je remercie la Délégation du Québec à Paris, le Délégué Wilfrid-Guy Licari, Pierre Legros, Directeur du Bureau d'Immigration, Claire Seguin, Directrice de la Bibliothèque Gaston Miron,
La Bibliothèque municipale du 7e arrondissement, la Librairie du Québec à Paris,
Les Éditions de La Martinière, Corinne Schmidt et Nathalie Mayevski,
François Poche pour ses superbes photographies,
C-Album, Laurent Ungerer, Directeur artistique, pour son grand talent et la patience avec laquelle il a mené à bien ce projet, aidé de la compétence de Matthieu Levet et Clémence Passot.

{BIBLIOGRAPHIE}

Mario BÉLANGER, *Petit Guide du parler québécois*, Stanké, 2004.

Émilie CAPPELLA, *Champlain, le fondateur de Québec*, Magellan & Cie, 2004.

Normand CAZELAIS et Francesco BELLOMO, *Vision*, Éditions Stromboli, 2000.

Michel COULOMBE et Marcel JEAN, *Le Dictionnaire du cinéma québécois*, Boréal, 2006.

Lise GAUVIN et Gaston MIRON, *Écrivains contemporains du Québec*, Seghers, 1989, L'Hexagone, 1998.

Robert GIROUX, Constance HAVARD et Rock LAPALME, *Le Guide de la chanson québécoise*, Triptyque, 1996.

Serge JOYAL et Paul-André LINTEAU (sous la direction de), *France-Canada-Québec, 400 ans de relations d'exception*, Les Presses de l'Université de Montréal, 2008.

Robert LALIBERTÉ (sous la direction de), *À la rencontre d'un Québec qui bouge*, Éditions CTHS, 2009.

Père Ph. LÉCRIVAIN, *Les Missions jésuites, pour une plus grande gloire de Dieu*, Gallimard, 2005.

Robert LÉGER, *La Chanson québécoise en question*, Québec Amérique, 2003.

Valérie LION, *Irréductibles québécois*, Éditions des Syrtes, 2004.

Raymonde LITALIEN et Denis VAUGEOIS, *Champlain, la naissance de l'Amérique française*, Nouveau Monde éditions/Septentrion, 2004.

Raymonde LITALIEN, Jean-François PALOMINO et Denis VAUGEOIS, *La Mesure d'un continent. Atlas historique de l'Amérique du Nord, 1492-1814*, PU Paris-Sorbonne, 2007.

Michel VENNE et Miriam FAHMY (sous la direction de), *L'Annuaire du Québec 2008*, Fidès.

YOU 10/13
YOU 7/15

Nous avons cherché en vain les détenteurs des droits de certains extraits.
À cet effet, un compte en nos écritures leur est ouvert.

Photogravure : IGS-CP
Achevé d'imprimer en décembre 2009 sur les presses de l'Imprimerie Moderne de l'Est
à Baume-les-Dames.
ISBN : 978-2-7324-4158-0
Dépôt légal : mars 2010
Imprimé en France.